Conseils pour bien lire

Avant de lire :

- Demande-toi pourquoi tu lis.
- Prépare-toi à bien lire.

Qu'est-ce qui arrive dans cette histoire ? Qu'est-ce que je veux savoir ? Qu'est-ce que j'ai à faire ?

... et les lumières. Je pense à ce que je connais.

Pendant que tu lis :

- Utilise tes supertrucs pour lire des phrases.

Mon amie Ève aime beaucoup les pommes, les oranges et les fraises.

Ève aime les fruits.

- Utilise tes supertrucs pour lire les mots.

 photographier

 survoler

 observer

 démasquer

Quand tu as fini de lire :

- Redis dans tes mots ce que tu as lu.

Je peux répondre aux questions. J'ai trouvé ce que je cherchais.

C'est une belle histoire. La petite fille ressemblait à mon amie Ève.

Conseils pour bien écrire

- Pourquoi veux-tu écrire ?
- Pense à ce que tu vas écrire.

> Ça y est !
> Ma tête est maintenant pleine de bonnes idées. Je sais lesquelles je vais utiliser.

Écris ton texte.

- Fais des phrases pour exprimer tes idées.
- Mets une majuscule au début de chaque phrase et un point à la fin.
- Souviens-toi des mots que tu as appris.
- Forme bien tes lettres et mets des espaces entre les mots.

Révise ton texte et corrige-le.

> As-tu mis une majuscule et un point à chaque phrase ? Dans les groupes du nom, as-tu mis au besoin un **s** pour indiquer le pluriel et un **e** pour indiquer le féminin ? Bravo ! Tes lettres sont bien formées et tu as mis des espaces entre les mots.

> Je pense que j'ai eu de bonnes idées. J'ai relu mes phrases pour m'assurer qu'elles étaient complètes. J'ai vérifié l'orthographe des mots. Je pourrais peut-être remplacer certains mots par des mots plus précis ?

LEXIBUL 2

Marie-Lise Lachapelle
Isabelle Péladeau

MODULO

Chargé de projet : André Payette

Typographie : Carole Deslandes

Conception graphique : Olena Lytvyn

Direction artistique : Sylvie Richard

Montage : Lise Marceau

Maquette de la couverture : Olena Lytvyn

Recherche (photos) : Kathleen Beaumont

Révision : André Payette, Monique Tanguay, Marie Théorêt

Correction d'épreuves : Monique Tanguay, Marie Théorêt

Illustrations : Fanny Bouchard : p. 26-29, 64-67, 84-85, 172, 186-187; Monique Chaussé : p. 30-31, 33, 53, 56-57, 70, 79-80, 86-88, 97-98, 106-109, 123, 126, 137-140, 191; Marc Delafontaine : couverture et pages de garde, p. 1-6, 9-10, 12-14, 18-25, 31-36, 42, 52-54, 77-78, 95-96, 98-99, 106-109, 114, 116, 126-127, 130-133, 143, 152-154, 158-159, 164-168, 175, 188-190, 192-194; Nathalie Dion : p. 7-8, 11, 46, 81, 110, 117, 144, 169-171; Nicole Lafond : p. 118-120; Josée Laperrière : p. 134-135; Céline Malépart : p. 49-51, 58-61, 76, 101-103, 155, 163, 182-185; Diane Mongeau : p. 71-75, 127; Jean Morin : p. 37-39, 111-112, 128, 149-151; Bruno St-Aubin : p. 55, 91-94, 134-135, 147-148.

Textes : Kathleen Beaumont : p. 69; Maude Boyer : p. 12-14, 126-127, 152-154, 182-185; Jacinthe Lavoie : p. 81, 117, 123, 129, 166-168; André Payette : p. 1, 2-4, 5-6, 9-10, 18-19, 20-21, 31-32, 33, 34, 35-36, 42, 47-48, 52, 53-54, 56-57, 77-78, 79-80, 95, 96-99, 101-103 (adapt.), 106-109, 113, 114-116, 128, 130-133, 134-135, 143, 158-159, 164-165, 175, 186-187, 188-190, 193-194; Marielle Payette : p. 110, 124-125, 147-148; Claire St-Onge : p. 7-8, 49-51, 64-67, 149-151; Marie Théorêt : p. 22-25, 26-29 (adapt.), 37-39, 43-45, 58-61 (adapt.), 68, 71-75 (adapt.), 86-88, 89-90, 111-112, 118-120 (adapt.), 137-140 (adapt.), 145-146, 160-162, 169-171, 176-179, 180-181.

Photos : Agence spatiale canadienne : p. 100; Alain Florent : p. 47-48, 154; Odile Martinez : p. 89, 124, 129, 176, 177, 178, 179, 180, 181, 182; Institut de tourisme et d'hôtellerie du Québec : p. 125; Clément Morin : p. 43, 44, 45; Livres Toundra : p. 152; Les Éditions Boréal : p. 152; La courte échelle : p. 153; Pierre Lapprand : p. 179 (Le théâtre de l'Ourson Doré); Royal Library, Copenhagen, The Department of Maps, Prints and Photographs : p. 140; Claudette Fontaine : p. 113, 114 (Ministère de l'Éducation du Québec); Studio Artbec : p. 69; National Library of Congress : p. 75; Bildarchiv Preubisher Kulturbesitz : p. 29; Collection Nelson Tousignant : p. 68; Hélène Décoste : p. 68; François Frigon : p. 113, 114, 115, 116; MAPAQ : p. 132, 133; ANQ, IBC : p. 131 (« Les Sucres » d'E.J. Massicotte); BNQ : p. 131 (A Sugar Bush, Canadian Illustrated News); Gisèle Beauvais : p. 166, 167, 168 (Ville de Montréal); Domtar : p. 167; Xuân-Huy Nguyen : p. 22, 23, 25.

Nous reconnaissons l'aide financière du gouvernement du Canada par l'entremise du Programme d'Aide au Développement de l'Industrie de l'Édition (PADIÉ) pour nos activités d'édition.

Lexibul 2

(Manuel de lecture)

© Modulo Éditeur, 2000
233, av. Dunbar
Mont-Royal (Québec)
Canada   H3P 2H4
Téléphone : (514) 738-9818 / 1 888 738-9818
Télécopieur : (514) 738-5838 / 1 888 273-5247
Site Internet : www.groupemodulo.com

Dépôt légal — Bibliothèque nationale du Québec, 2000
Bibliothèque nationale du Canada, 2000
ISBN 2-89113-776-0

Imprimé au Canada
4 5 6 7 8   10 09 08 07 06

Table des matières

Lexibul ne s'est pas présenté en classe aujourd'hui.
Où est-il ?

Où est passé Lexibul ?

Bonjour, les enfants. Vous avez passé de belles vacances ? Je suis bien contente de vous revoir. Mais je ne vois pas Lexibul. Où est-il ?

Je ne l'ai pas vu depuis deux jours.

Moi non plus. Ça m'inquiète beaucoup.

Moi, je l'ai vu hier au parc. Il avait l'air triste. Il m'a dit qu'il n'irait plus à l'école, parce qu'il cherche du travail.

Du travail ? Allons donc ! Il faut vite trouver notre ami Lexibul, les enfants.

■ Toi, sais-tu où est passé Lexibul ?

Il faut absolument retrouver notre ami Lexibul.
Que pouvons-nous faire ?

À la recherche de Lexibul

Les élèves de la classe de Monique ont formé des équipes
pour chercher Lexibul.

Des amis le cherchent partout
à l'école. La directrice n'a pas
vu Lexibul, ni la secrétaire.

Le concierge ne l'a pas vu non
plus. Est-ce que Lexibul est dans
la cour de récréation ? Non.

Des amis le cherchent partout
dans la ville. La brigadière n'a
pas vu Lexibul ce matin. Les
amis s'arrêtent chez l'épicière.
Elle leur dit que Lexibul est
venu acheter des fruits et
des légumes hier, et qu'il avait
l'air triste. Mais elle ne l'a pas
vu ce matin.

Est-ce que Lexibul est malade ?
Des amis vont à la clinique,
puis à la pharmacie. Personne
ne l'a vu.

Louis et David se rendent à la
bibliothèque municipale. La
bibliothécaire n'a pas vu
Lexibul depuis une bonne
semaine. « Lexibul m'a annoncé
qu'il ne viendrait plus jamais à
la bibliothèque, leur dit-elle.
J'ai trouvé ça étrange. »

Ève et Monique vont chez lui.
Personne. Monique est
terriblement inquiète. Puis Ève
a une idée : « Si Lexibul ne se
sent pas bien, je sais où le
trouver. Allons vite à la mare
aux Chagrins ! »

Ève et Monique marchent dans la forêt. Elles trouvent enfin Lexibul qui est en train de réfléchir sur son banc de bois.

« Pourquoi n'es-tu pas à l'école, mon petit Lexibul ? dit Monique.

— Parce que je ne sais plus lire ni compter, Monique. Tu vas être fâchée. J'ai tout oublié pendant les vacances !

— Tu penses que tu as tout oublié, Lexibul, mais ce n'est pas vrai. C'est seulement un peu loin dans ta tête. On va vite ramener tout ça. Est-ce que tu as passé de belles vacances, Lexibul ?

— Les plus belles vacances de ma vie !

— Tant mieux. Allons vite à l'école retrouver tes amis qui t'ont cherché partout. Et nous allons tous nous raconter nos vacances. »

■ Toi, avais-tu hâte de revenir à l'école ?

Lis ce texte pour connaître les souvenirs de vacances des amis de la classe de Monique.

Souvenirs de vacances

Ève

Cet été, j'ai joué dans les champs avec Lexibul et mon chien Piko. Avec Lexibul, j'ai construit une belle cabane dans les arbres.

David

Je me suis beaucoup amusé au camp de jour. J'ai joué au soccer et j'ai appris à faire de l'origami. En août, nous sommes allés visiter un insectarium. Nous avons vu des scarabées géants et des araignées noires.

Kim

Cet été, j'ai fait du camping avec mes parents. Nous avons campé à beaucoup d'endroits différents. Presque tous les soirs, nous avons chanté autour du feu. Mon père m'a appris à reconnaître les arbres et les fleurs sauvages.

Louis

J'ai fait beaucoup de bicyclette tout l'été avec mes amis. Je me suis promené dans les pistes cyclables, mais aussi dans les sentiers de la forêt. Et j'ai suivi des cours de natation à la piscine municipale.

6

Paquita

Cet été, j'ai lu beaucoup de livres que j'ai empruntés à la bibliothèque. J'ai fait plusieurs expériences intéressantes dans mon club scientifique. En juillet, nous avons visité une grotte. C'était très impressionnant !

Jim

Je me suis baigné presque chaque jour dans notre piscine. Avec mon ami Lexibul, j'ai fait beaucoup de découvertes intéressantes dans Internet. Grâce au courrier électronique, nous avons pu correspondre avec des amis du monde entier.

Lexibul

J'ai fait du jardinage avec Ève. J'ai fait de la bicyclette avec Louis. Je me suis beaucoup amusé avec l'ordinateur de Jim. J'ai fait du patin avec Paquita et David. Et j'ai appris à devenir un bon pêcheur au chalet de Monique.

■ Que vas-tu mettre dans ton coffret-souvenir ?

Pour Kouli, un jeune koala, c'est l'heure de la rentrée scolaire. Comment cela se passera-t-il ?

La rentrée de Kouli

Kouli le koala reste accroché à sa branche et il refuse de descendre de l'arbre.

« Je ne veux pas aller à l'école, rouspète Kouli en se balançant.

— Mais voyons ! répond sa maman. Tu sais bien que tout le monde va à l'école !

— Moi, je préfère les cabrioles.

— Kouli ! Ce n'est pas le temps de faire le singe. Tu vas arriver en retard. »

Kouli se décide enfin à quitter sa branche et à s'accrocher au dos de sa maman. Il commence à marcher lentement, très lentement vers l'école. Mais le pauvre Kouli est plus lent qu'une tortue et sa maman voit bien qu'il n'y arrivera jamais. Elle se fâche.

« Kouli, espèce de paresseux, tu vas aller à l'école même si je dois t'y conduire sur mon dos ! »

Elle le prend aussitôt sur son dos et se met à marcher. Mais elle se rend compte qu'elle est presque aussi lente que Kouli. Découragée, elle s'apprête à remonter dans l'arbre quand elle entend quelque chose s'approcher à grands bonds. Bong ! Bong ! Bong !

« Bonjour ! lance joyeusement Kabou le kangourou. Comment ça va ?

— Mal ! répond la maman de Kouli. Ce petit serpent de Kouli est tellement lent qu'il ne pourra jamais se rendre à l'école.

— Je peux t'aider ! dit le kangourou. Je viens justement d'avoir mon permis. Attends quelques secondes que je me prépare... »

Comme tu le sais, les koalas sont rarement de bons élèves à l'école des animaux. Ils n'ont ni la mémoire des éléphants, ni la rapidité des lièvres, ni l'intelligence des singes. Mais Kouli, lui, fit de longues études, car il adorait se rendre à l'école chaque matin en kangourou scolaire. Bong ! Bong ! Bong !

Lexibul est triste : il pense qu'il n'a plus d'amis. Crois-tu qu'il a raison ?

Lexibul est triste

Toute la journée, Ève et David se sont dit des secrets. Quand Lexibul leur demandait de quoi ils parlaient, ils lui répondaient : « De rien. »

Hier, Lexibul est rentré chez lui tout seul après la classe, parce que Kim et Louis ont pris un autre chemin. Quand Lexibul leur a demandé où ils allaient, ils lui ont répondu : « Nulle part. »

Quand il est passé devant la maison de Paquita, il l'a entendue rire avec des amis. Lexibul s'est approché pour lui demander avec qui elle jouait. Paquita a rougi et elle lui a répondu : « Avec personne. »

À midi, Lexibul a mangé son repas tout seul. Quand Monique lui a demandé ce qui n'allait pas, il lui a répondu : « Rien. » Mais au fond, il avait juste envie de pleurer, parce qu'il n'avait plus d'amis.

■ Penses-tu vraiment que Lexibul n'a plus d'amis ?

Voici comment fabriquer un carnet d'anniversaires.

Un carnet d'anniversaires

Matériel

- deux feuilles de papier de 21,5 cm sur 28 cm
- du papier de bricolage
- de la laine
- un perforateur
- des crayons de couleur
- des ciseaux

Réalisation

1. Découpe chaque feuille de papier au milieu pour obtenir quatre feuilles.

2. Place les quatre feuilles les unes sur les autres. Plie-les en deux pour faire un petit carnet.

3. Fabrique la couverture de ton carnet avec du papier de bricolage. Décore-la, puis assemble ton carnet.

4. Perce deux trous et fais-y passer un bout de laine assez long pour faire une belle boucle.

5. Sur la couverture, écris « Mon carnet d'anniversaires » et laisse de la place pour écrire ton nom.

6. À la page 1, écris « Janvier » au haut de la page. Écris le nom de tous les mois de l'année en changeant de page chaque fois. Ajoute un petit dessin qui te rappelle chaque mois.

7. Écris au bon endroit les dates des anniversaires de tes amis ou des membres de ta famille.

Lexibul aura une grosse surprise. Lis ce texte pour en savoir plus.

La fiesta

« Il va se passer quelque chose de très important chez Louis, dit Ève à Lexibul. Allons vite chez lui ! »

Ding, dong ! Louis répond à la porte. Les trois amis descendent au sous-sol. Il fait noir. Lexibul ne voit rien. Soudain, les lumières s'allument :

« *Feliz cumpleaños*, Lexibul ! crient tous les amis. Bonne fête, Lexibul ! »

Quelle belle surprise ! Lexibul comprend maintenant pourquoi ses amis avaient tant de secrets !

Ève met un grand sombrero sur la tête de Lexibul. Pour la fête, les garçons ont mis des ponchos et les filles portent de belles robes colorées.

Maintenant, place à la musique : *la, la, la, la bamba…*
Ève danse avec Lexibul. Tous les autres entrent dans la danse.

Quand la musique s'arrête, trois amis moustachus descendent l'escalier avec de beaux habits et de grands chapeaux noirs. Ils grattent la guitare en faisant des *ay, ay, ay, ay*. Ce sont les mariachis. Ils chantent des chansons traditionnelles du Mexique en dansant autour d'un grand chapeau.

Pour se désaltérer, les amis boivent de grands verres de jus de papaye. Et les parents de Louis ont préparé une belle collation mexicaine. Il y a du guacamole, une purée d'avocats, et de bons tacos que l'on trempe dans une sauce rouge aux piments très épicée.

Le père de Louis suspend une piñata au plafond. Il demande aux amis de briser la piñata en donnant des coups de bâton.

La piñata se brise et il en sort des tas de bonbons.
Lexibul a la bouche pleine de friandises. Il est content.
C'est la plus belle fête de sa vie !

■ As-tu d'autres idées d'activités pour des fêtes ?

Apprends cette chanson bien connue du poète Gilles Vigneault.

Gens du Pays

Le temps que l'on prend pour dire : Je t'aime
C'est le seul qui reste au bout de nos jours
Les vœux que l'on fait, les fleurs que l'on sème
Chacun les récolte en soi-même
Aux beaux jardins du temps qui court.

Gens du Pays, c'est votre tour
De vous laisser parler d'amour *(deux fois)*

Le temps de s'aimer, le jour de le dire
Fond comme la neige aux doigts du printemps
Fêtons de nos joies, fêtons de nos rires
Ces yeux où nos regards se mirent
C'est demain que j'avais vingt ans

Le ruisseau des jours aujourd'hui s'arrête
Et forme un étang où chacun peut voir
Comme en un miroir l'amour qu'il reflète
Pour ces cœurs à qui je souhaite
Le temps de vivre leurs espoirs

Gilles VIGNEAULT

Révisons ensemble

- J'utilise toujours mes supertrucs pour lire des mots.

- « Clic », je photographie les mots. Je les reconnais ensuite d'un coup d'œil. Lis avec moi.

| école | équipe | forêt | vacances |
| bibliothèque | enfant | malade | beaucoup |

Pour mieux comprendre un mot, il m'arrive de faire comme le hibou. Je survole la phrase et je regarde l'illustration. Dans le texte *La rentrée de Kouli*, j'ai pu comprendre le sens du mot **s'accrocher** en lisant plus loin dans la phrase et en regardant les illustrations.

Kouli se décide enfin à quitter sa branche et à s'accrocher <u>au dos</u> de sa maman.

Pour décoder un mot, je le regarde à la loupe. Avec tous les sons que je connais, je peux lire plusieurs mots.

- Trouve d'autres mots qui contiennent les sons suivants : on comme dans **plafond**, oi comme dans **mémoire**, ou comme dans **kangourou**, en comme dans **lentement**, an comme dans **balançant**, eu comme dans **yeux**.

AUTOUR DE MOI

- J'avais peur de ne plus savoir ni lire, ni écrire, ni compter. Je ne voulais pas retourner à l'école. Heureusement, Monique est venue me chercher et j'ai vite retrouvé la mémoire !

- Je pensais que mes amis ne m'aimaient plus, mais ils m'ont organisé une fête fantastique. Toi, as-tu de bons amis ? Que fais-tu pour leur manifester ton amitié ?

Révisons ensemble

- Je sais que les mots se déguisent parfois. Ils prennent souvent un **s** s'ils sont au pluriel et un **e** s'ils sont au féminin.

- Les verbes se déguisent aussi, car ils se terminent souvent par **nt** au pluriel.

*Le**s** enfant**s** cherche**nt** Lexibul.*

- Je sais aussi que, dans les mots, plusieurs lettres finales ne se prononcent pas. On dit qu'elles sont muettes.

un **banc**   une **forêt**   un **tapis**   **beaucoup**

- Depuis mon retour de vacances, je m'amuse à composer des phrases avec les mots que je connais ou avec ceux que je copie. Je m'efforce de mettre tous mes mots en ordre. Amuse-toi à faire une phrase avec les mots suivants.

de   que   passé   vacances.   as   belles   J'espère   tu

- Je m'efforce de copier correctement les mots que je ne sais pas encore écrire. J'essaie de bien former toutes les lettres. Je n'oublie pas de mettre un espace entre chaque mot.

POUR T'AMUSER

- **Fais-toi un carnet d'adresses. En respectant l'ordre alphabétique, écris le nom de tous tes amis et note leur adresse, leur numéro de téléphone et leur courriel s'il y a lieu.**

- **Raconte un de tes anniversaires ou l'anniversaire d'un ami ou d'une amie. Fais un dessin pour te souvenir de ce moment heureux.**

Lexibul s'est fabriqué une belle bibliothèque. Comment classera-t-il ses livres ?

La bibliothèque de Lexibul

Lexibul a trouvé des bouts de planches, des clous et des bidons de peinture. Avec ces rebuts, il a fabriqué une belle bibliothèque. Ça ne lui a pas coûté un sou !

À son anniversaire, Lexibul a reçu des livres sur les insectes, les oiseaux et les reptiles. Il les range sur la première tablette. Ce sera le rayon des livres de référence.

Ève et Louis lui ont prêté des albums de contes. Il les placera ensemble sur la deuxième tablette. Comme ça, il n'oubliera pas de les remettre quand il les aura lus.

Au marché aux puces de l'école, Lexibul a acheté ses premiers romans pour presque rien. Ce sont des romans d'aventures, ceux qu'il préfère. Il les mettra sur la tablette du bas.

À la bibliothèque, Lexibul a emprunté deux bandes dessinées et un livre sur l'électricité. Il les classera sur la tablette du bas, sous les albums de contes. Lexibul déteste remettre les livres en retard.

Lexibul va aussi classer tous ses autres livres : un petit roman d'amour, un recueil de poésie et un manuel sur les ordinateurs.

Lexibul regarde sa bibliothèque. Les couvertures font de beaux mélanges de toutes les couleurs. Lexibul trouve qu'il n'y a rien de plus beau qu'une bibliothèque dans une maison.

■ À ton tour, classe les livres de ta bibliothèque.

Sais-tu comment choisir un livre à la bibliothèque ? Lis le texte pour connaître la façon de faire de Lexibul.

Choisir un livre

Avant, Lexibul n'aimait pas aller à la bibliothèque avec moi. Il disait qu'il y avait trop de livres ! Maintenant, Lexibul réfléchit aux sujets qui l'intéressent avant de se rendre à la bibliothèque.

Avant, Lexibul choisissait souvent des livres trop difficiles pour lui. Maintenant, il feuillette les livres avant de les choisir. Il lit les titres et les résumés, il regarde les illustrations. Il fait presque toujours de bons choix.

Avant, Lexibul disait qu'il n'avait jamais le temps de lire. Maintenant, il fait comme moi. Il se réserve des moments de lecture à la maison, à la bibliothèque et à l'école.

Avant, Lexibul ne se souvenait jamais des livres qu'il lisait. Maintenant, il me raconte ce qu'il a lu et je lui raconte ce que j'ai lu. Ça nous aide à retenir ce que nous avons appris et ça nous donne de bonnes idées de lecture.

Lexibul a inventé une activité qu'il a appelée « livraction ». Chaque semaine, nous nous servons de nos lectures pour faire du théâtre, du dessin, du bricolage... mais surtout de l'informatique !

■ Toi, comment choisis-tu tes livres ?

Aimerais-tu connaître le dessinateur de Lexibul ?
Lis cette interview pour le découvrir.

Marc Delafontaine, illustrateur

Marc, comment as-tu décidé de devenir illustrateur ?

Quand j'étais petit garçon,
c'était déjà un de mes rêves.
Mes enseignants et mes
camarades de classe me
disaient que j'avais beaucoup
de talent pour le dessin. J'ai
aussi eu la chance d'avoir
des parents qui m'ont
beaucoup encouragé à
dessiner.

Mais à ce moment-là, je ne
connaissais pas vraiment le
métier d'illustrateur. C'était un
monde un peu mystérieux
pour moi. Je me suis rendu
compte bien plus tard que je
pourrais gagner ma vie en
faisant des illustrations, de la
bande dessinée et du dessin
animé. Mon rêve d'enfance
est alors devenu réalité.

Ça doit être très difficile de faire du dessin animé ?

Non. Ce n'est pas plus difficile que de faire du dessin ordinaire, mais la façon de travailler est très différente. Ce qui est le plus important dans le dessin animé, c'est le mouvement. Pour animer les personnages et les scènes, pour les faire bouger, il faut réaliser un nombre incroyable de dessins. Quand je fais du dessin animé, j'ai donc moins le temps de m'attarder aux détails et à la finition.

Qu'est-ce qu'un bon dessin ?

C'est un dessin qui a du mouvement, de la vie... C'est aussi un dessin qui est facile à décoder, facile à comprendre, un dessin qui va à l'essentiel. Selon moi, un bon dessin ne doit pas présenter trop de détails. Je préfère la simplicité et l'efficacité.

Et Lexibul, as-tu eu de la difficulté à le créer ?

J'ai eu beaucoup de plaisir à créer Lexibul. Le personnage m'est venu assez facilement, presque tout de suite. Il est vrai que j'ai fait six versions de personnages que j'ai dû rajeunir avant d'en arriver à Lexibul.

J'aime le visage de Lexibul, car il est très riche sur le plan de l'expression des émotions. Et je prends beaucoup de plaisir à dessiner son environnement et ses accessoires, surtout son vaisseau spatial.

As-tu une technique particulière pour dessiner ?

Je travaille en deux étapes. Je fais d'abord un croquis très rapide. À partir de cette image, je vois ce que je dois améliorer et modifier. Bien sûr, pendant mon apprentissage, je devais recommencer mes dessins des dizaines de fois. Mais à présent, avec l'expérience, je réalise mon dessin final après ces deux étapes.

As-tu des conseils à donner aux enfants qui voudraient devenir illustrateurs comme toi ?

Avant tout, ne pas copier des dessins dans des livres !
Il vaut mieux laisser aller son imagination. Pour ma part,
j'ai fait beaucoup de reproductions de personnages de BD
et j'ai l'impression que cela a retardé mon apprentissage.
Ensuite, j'ai eu de la difficulté à trouver mon propre style,
mon coup de crayon à moi. Il faut avoir confiance en
ses possibilités et persévérer dans son style, même si
c'est difficile au début.

Eh bien, c'est réussi, Marc ! Merci beaucoup pour cette entrevue et félicitations pour tes beaux dessins !

■ Nomme l'illustrateur ou l'illustratrice de ton livre préféré.

Lis ce conte pour découvrir la magie de l'oie d'or.

L'oie d'or

Bêta était un jeune homme pauvre et simple, mais généreux. Tous les habitants du village se moquaient de lui à cause de son nom.

Un jour, dans la forêt, Bêta rencontra un gnome affamé.

« Je n'ai qu'une galette et du mauvais vin, dit Bêta, mais je les partage avec toi si tu le veux. »

À ces mots, la galette se transforma en un appétissant gâteau et son vin répandit une odeur délicieuse. Quel régal !

« Tu as bon cœur, dit le gnome. Accepte cette oie aux plumes d'or. »

Bêta partit gaiement avec son oiseau. Sur la route, il rencontra trois sœurs. Chacune désirait une plume d'or. La première approcha sa main et resta collée à l'oie. La deuxième resta rivée à sa sœur. Le même sort attendait la troisième. Impossible de se déprendre !

Bêta continua sa route, suivi des trois filles qui couraient, complètement affolées. Bientôt, un curé passa. Voulant ramener les petites filles chez elles, il resta collé lui aussi à la dernière ! Puis ce fut le tour d'un paysan et de ses deux vaches. Ils étaient maintenant sept à courir derrière Bêta et son oie !

Quand toute cette ribambelle passa devant le château du roi, la princesse éclata de rire. Or, le roi avait promis qu'il marierait sa fille à l'homme qui la ferait rire, car la princesse était très triste. Mais comme il ne voulait pas de Bêta dans son château, le roi inventa une autre épreuve.

« Tu dois me ramener une personne capable de boire tout le contenu de ma cave à vins et de manger une montagne de galettes », dit le roi à Bêta.

Pas si bête, le jeune homme retourna dans la forêt pour chercher son ami le gnome. Malgré sa petite taille, le gnome avala tout, au grand déplaisir du roi. Mais la princesse riait de plus belle.

« Procure-moi un bateau qui se déplace aussi bien sur la terre ferme que sur l'eau, dit le roi à Bêta. Si tu réussis, je te promets que le mariage aura lieu », ajouta-t-il, certain qu'une telle chose était impossible.

Une fois de plus, le gnome vint au secours de Bêta. Sans difficulté, il fit apparaître un bateau fantastique qui flottait aussi bien au-dessus de la terre que sur la mer.

C'est ainsi que Bêta devint prince. Grâce à sa bonté et à sa générosité, tous les paysans du royaume vécurent heureux. Et la princesse connut de longues années de bonheur avec ce prince au grand cœur.

■ Quel est ton conte préféré ? Raconte-le.

Les frères Grimm

Les frères Grimm, Jacob et Wilhelm, sont nés en Allemagne, en 1785 et 1786. Ils ont travaillé ensemble pendant presque toute leur vie pour réunir et publier plus de 200 contes de la tradition populaire germanique : *Cendrillon*, *Blanche-Neige et les sept nains*, *La belle au bois dormant*, *Hänsel et Gretel*, et bien d'autres encore. Leurs recueils de contes ont été traduits dans 140 langues !

Lis ce joli poème sur la météo.

Petit Jacquot

Petit Jacquot
ouvre la radio
pour écouter la météo.

Si aujourd'hui
c'est jour de pluie,
petit Jacquot s'écrie : « Tant pis ! »

Dans le parterre,
un ver de terre
regarde en l'air.

Sur le patio,
deux gros crapauds
sautent dans l'eau.

Sous le ciel gris,
trois colibris
cherchent un abri.

Et même s'il pleut,
demain, ce sera mieux.
La météo promet un ciel bleu.

Il fera beau,
on prendra les vélos
pour aller jouer au bord de l'eau.

Francine PELLETIER

Lis ce texte dans lequel je t'explique ce qu'est le cycle de l'eau.

Le cycle de l'eau

D'où viennent les nuages ?

Pendant le jour, le soleil réchauffe l'eau de la mer, des lacs et des rivières. L'eau se transforme en vapeur qui monte dans le ciel. Dans le ciel, l'air froid transforme la vapeur d'eau en gouttelettes d'eau. C'est la condensation. Les gouttelettes se regroupent pour former des nuages.

L'eau s'évapore sous l'action du soleil. Elle forme des nuages et elle retombe en pluie. C'est ce qu'on appelle le cycle de l'eau.

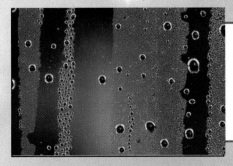

Quand tu prends un bain ou une douche, la vapeur d'eau forme des gouttelettes d'eau sur toutes les surfaces froides : les fenêtres, le lavabo, les tuiles de céramique, etc. C'est le phénomène de la condensation.

D'où vient la pluie ?

Souvent, les gouttelettes d'eau des nuages grossissent et les nuages deviennent lourds et gris. Quand les gouttes d'eau deviennent trop lourdes pour flotter dans l'air, elles tombent au sol. C'est la pluie.

Quand l'air est très froid, les gouttes d'eau gèlent. Elles se transforment alors en neige ou en grêle.

D'où viennent la foudre, le tonnerre et les éclairs ?

Dans les gros nuages noirs, il s'accumule beaucoup d'électricité. L'électricité se transmet d'un nuage à un autre ou d'un nuage à la terre. Il y a alors des éclairs et du tonnerre. C'est la foudre.

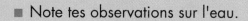

■ Note tes observations sur l'eau.

Grâce à Paquita, j'ai pu faire tomber de la pluie dans un bocal. Essaie, toi aussi, de reproduire son expérience.

Pluie en pot

Pour l'aider à mieux comprendre le phénomène de la pluie, Paquita a proposé à Lexibul de faire l'expérience suivante. Fais-la, toi aussi, pour mieux comprendre le cycle de l'eau.

Matériel

- un gros bocal de verre transparent
- de gros glaçons
- une passoire
- de l'eau chaude

Réalisation

1 Verse un peu d'eau chaude au fond du bocal.

2 Place les glaçons dans l'ouverture du bocal. Si l'ouverture est très large, utilise une passoire pour retenir les glaçons.

3 Observe la formation du nuage dans le bocal. Note les changements qui se produisent au cours de l'expérience.

4 À la lumière de cette expérience, tente d'expliquer la formation des nuages dans l'atmosphère.

Ting... ting... tac... tac... ploc... ploc... Que se passe-t-il donc chez Lexibul ? Lis ce poème pour l'apprendre.

Concerto

Goutte... goutte... goutte...
L'eau coule goutte à goutte lentement
Sur un nez.

Ting... ting... ting...
Des gouttes d'eau tintent joyeusement
Dans l'évier.

Tac... tac... tac...
Des gouttes gouttent dans une flaque
Sur le plancher.

Ploc... ploc... ploc...
Des gouttes savantes font de gros pâtés d'encre
Dans un cahier.

Tic... tac... ticatac...
Tic... tac... ticatac...
Une armée de gouttes gouttent maintenant
Dans l'escalier.

Dehors, la pluie a cessé.
Mais elle goutte à présent dans la maison
Où elle est entrée
Sans invitation.

Lis ce texte pour découvrir ce qu'est une « ovnitrouille ».

Ovnitrouille

Lexibul se préparait depuis des mois pour la fête de l'Halloween. Tous ses amis le savaient. Mais ils n'arrivaient pas à deviner quel serait son costume à cause de tous ces matériaux bizarres qu'il avait rassemblés :

— des puces d'ordinateurs;
— des fils électriques;
— des piles;
— de grands panneaux de fibre de verre;
— de la peinture orange;
— toutes sortes d'outils de précision.

Lexibul travaillait seul dans son atelier secret, loin dans la forêt. Personne n'était au courant de son plan.

Le soir de l'Halloween, tous les amis se sont retrouvés dans les rues pour la grande collecte de friandises. Il y avait des costumes magnifiques : des princesses, des dinosaures, des monstres, des squelettes, des fées.

Vers 20 heures, il y a eu la plus grande surprise de l'année. Elle est venue du ciel sous la forme d'une énorme citrouille volante tout illuminée.

La citrouille s'est posée dans un champ. Tous les amis se sont rassemblés autour. Le pilote Lexibul en est sorti. Pour faire une balade en « ovnitrouille » au-dessus du village, Lexibul ne demandait que deux bonbons. Il en a reçu des centaines !

■ Toi, comment te prépares-tu pour l'Halloween ?

Pour Hubert, le jour de l'Halloween se transforme en un véritable cauchemar. Lis le texte pour connaître ses mésaventures.

Drame d'horreur...

C'est le jour de l'Halloween. Tous les élèves ont hâte que l'après-midi finisse. Mais pas Hubert. Il est nouveau dans cette école. Il n'a pas envie de faire la tournée de l'Halloween ce soir, car il n'a pas d'amis.

La cloche sonne. Hubert enfile sa veste et court vite chez lui. Il ouvre la porte. Il fait noir dans la maison. Il avance à tâtons dans le corridor pour allumer la lumière quand… Horreur ! Un filet tombe sur lui et l'emprisonne ! Le voilà pris comme un puceron dans une énorme toile d'araignée.

Immédiatement, un homme en haillons se précipite sur lui comme une bête féroce. Hubert n'a jamais vu une créature aussi laide : des verrues, un nez crochu, des dents noires, un dos bossu… Le monstre grogne de façon effrayante. Il a une agilité et une force incroyables.

Il saisit Hubert de ses bras puissants et le dépose sur la table de la salle à manger. Une drôle d'odeur emplit toute la maison. Quelques bougies éclairent faiblement la pièce. Hubert entend des bruits horribles !
Des chaînes ? Des plaintes ? Des grincements ?

Hubert est paralysé de terreur. Il voudrait crier au secours, mais sa gorge est nouée par l'angoisse. Soudain, il aperçoit sa grande sœur qui mijote dans un immense chaudron ! La figure empourprée, elle est déjà inconsciente. Des crapauds et des pattes d'oiseaux flottent dans le bouillon verdâtre. Ça empeste !

« Murielle ! crie Hubert. Murielle !

— Je t'ai bien eu, mon petit Hubert ! Je te présente
mon amie Lucie, la championne d'haltérophilie
de la région ! Il est réussi, son costume de
Quasimodo, non ? »

Hubert a un peu honte
de s'être laissé avoir encore
une fois par sa grande sœur.
Mais il se console vite.
Accompagné par une
sœur judoka et une
haltérophile, il se sentira
en sécurité ce soir. Et grâce
à son magnifique costume
d'extraterrestre, il compte
bien revenir avec un sac
de friandises plein à
craquer !

■ Toi, de quoi as-tu peur ?

Révisons ensemble

Pour comprendre un texte, je combine souvent plusieurs supertrucs. J'utilise la loupe pour décoder un mot nouveau et le hibou pour survoler les mots autour. Observe comment j'ai fait pour lire le mot habitants :

Tous les habitants du village se moquaient de lui à cause de son nom.

J'ai utilisé la loupe pour lire la première syllabe, ha, puis la deuxième, bi. J'ai pensé au mot habitants. Ensuite, comme le hibou, j'ai survolé le reste de la phrase. L'indice des mots du village a confirmé que j'avais trouvé le bon mot.

Moi, j'ai d'abord survolé la phrase. J'ai ensuite décomposé le mot en syllabes pour être bien sûr de ne pas me tromper.

Très souvent, le titre et les illustrations d'un texte me permettent de savoir s'il s'agit d'une histoire ou d'un texte d'information. Je lis : *L'oie d'or*. Cela ressemble à un titre de conte. Je regarde les illustrations. Je vois une oie avec des gens collés les uns aux autres et une princesse qui rit en les regardant. Cette histoire a l'air drôle. J'ai hâte de la lire.

AUTOUR DE MOI

Maintenant que je sais comment choisir mes livres, je vais régulièrement à la bibliothèque. Toi, est-ce que tu y vas souvent ? Comment choisis-tu tes livres ?

À l'Halloween, il faut être prudent comme Prudence. Quels conseils de sécurité donnerais-tu à Lexibul ?

Révisons ensemble

- Je lis facilement plusieurs nouveaux sons et je peux aussi les écrire :

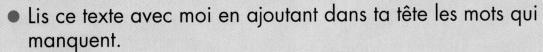

ille, ouille, ail, aille, euil, euille, eil, eille.

- Lis ce texte avec moi en ajoutant dans ta tête les mots qui manquent.

fille	gentille	citrouille	épouvantail
paille	feuilles	Mireille	chandail

Pour l'Halloween, Lisa, une ▯ petite ▯ a mis un chapeau de ▯ et un ▯ trop grand pour elle. Déguisée en ▯, elle tient dans ses mains une ▯ dans laquelle elle met ses bonbons. Son amie ▯ s'est fait deux ailes avec des ▯ de papier.

- Pour retenir l'orthographe d'un mot, je l'entre dans ma mémoire. Je commence par bien l'observer : chandail. Je le découpe en lettres, c-h-a-n-d-a-i-l, ou en syllabes, chan-dail.

> Je le vois ou je le dis dans ma tête. Ensuite, je l'écris et je vérifie si je l'ai bien écrit. Je le garde en mémoire pour le ressortir chaque fois que j'en ai besoin.

- Voici des mots qui servent à poser des questions. Pose des questions à tes amis en utilisant chacun de ces mots.

  Pourquoi ? Comment ? Quand ? Qui ? Quoi ? Où ?

POUR T'AMUSER

- ◆ **Choisis les personnages de livres ou de films que tu préfères. Fais une affiche pour les présenter à des amis.**

- ◆ **Imagine un costume et demande à un ami ou une amie de le dessiner à partir des indications que tu lui donneras. Ne lui dis pas le nom de ton costume.**

Lexibul a amené un drôle d'ami en classe. Lis ce texte pour connaître ce nouveau camarade.

L'ami Poubelle

Lexibul a amené en classe son nouvel ami. Il l'a appelé Poubelle, parce qu'il l'a surpris la nuit dernière à fouiller dans les ordures. Poubelle mange à peu près de tout et il raffole du maïs.

Les élèves voudraient bien garder Poubelle dans la classe. Monique leur explique que Poubelle est un raton laveur. C'est un animal doux et assez facile à apprivoiser, mais ce n'est pas un animal domestique. C'est un animal sauvage qui doit vivre dans son milieu naturel : la forêt.

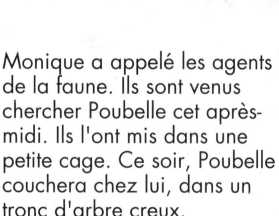

Monique a appelé les agents de la faune. Ils sont venus chercher Poubelle cet après-midi. Ils l'ont mis dans une petite cage. Ce soir, Poubelle couchera chez lui, dans un tronc d'arbre creux.

Adieu, Poubelle. Ton premier jour de classe était aussi ton dernier !

■ Quels sont les besoins d'un animal sauvage ?

Saurais-tu t'occuper de petits animaux domestiques ? Tu trouveras dans ce texte de précieux conseils sur les soins à leur donner.

Aux petits soins

Un chien

Prépare un lit à ton petit chien. Tu peux utiliser une boîte de carton et placer un morceau de tissu bien doux au fond. Nourris-le plusieurs fois par jour. Assure-toi qu'il a toujours une gamelle d'eau fraîche. Fais-le sortir chaque jour pour qu'il apprenne à faire ses besoins dehors.

Joue avec ton chien et caresse-le, car les chiens aiment la compagnie. Brosse bien son poil. N'oublie pas de lui mettre une laisse.

Un poisson rouge

Ton poisson rouge a besoin d'un aquarium avec un couvercle, un système d'éclairage et un filtre pour garder l'eau propre. Installe l'aquarium dans une pièce éclairée, mais pas directement au soleil. Mets-y du gravier et des plantes aquatiques.

Matin et soir, à la même heure, nourris ton poisson. Avant de te coucher, éteins la lampe de l'aquarium. Une fois par semaine, enlève les déchets et les algues brunies. Remplace l'eau qui s'est évaporée.

Un chaton

Prépare un lit douillet pour ton petit chat. Lui aussi appréciera une boîte de carton tapissée d'un bout de tissu ou d'un vieux vêtement. Nourris ton chat plusieurs fois par jour et donne-lui de l'eau. Habitue-le à faire ses besoins dans une litière. N'oublie pas de changer la litière au besoin.

Les chats aiment beaucoup se faire caresser. Ils ronronnent de plaisir quand ils sont contents. Brosse ton chat et donne-lui de l'attention pour le rendre heureux.

Une perruche

Installe la cage de ta perruche dans un endroit tranquille. Places-y un perchoir, deux contenants et des jouets d'oiseau. Chaque jour, change l'eau et mets une ration de graines dans les contenants. Avec de l'eau chaude, nettoie les dégâts de ton oiseau : les plumes, les fientes et les graines.

Avec le temps, tu pourras caresser ta perruche, la faire tenir sur ton doigt et la laisser voler dans la maison. Mais assure-toi de bien fermer les portes et les fenêtres !

Un cobaye

Procure-toi une cage qui sera la maison de ton cobaye. Place de la sciure au fond de la cage et mets du foin dans une boîte pour lui faire un lit.

Chaque jour, donne de la nourriture à ton cobaye. Tu dois aussi prévoir un petit abreuvoir et une gamelle. Change l'eau de l'abreuvoir tous les jours. Nettoie la cage et change la sciure chaque semaine.

Mets des jouets dans la cage de ton cobaye pour qu'il puisse s'amuser. Caresse-le doucement. Quand il se sera habitué à toi, tu pourras le prendre délicatement dans tes mains.

■ Quels sont les besoins d'un animal domestique ?

Mon gentil cochon

Chez les Papous, les cochons sont des animaux familiers très populaires. On les caresse et on les élève comme on le fait chez nous avec des chiens ou des chats. Les cochons vivent dans la maison avec leur maître. Dehors, les gens se promènent avec leurs cochons en laisse.

Lis ce beau poème de Maurice Carême sur un chat qui se tricote des bas.

Tricoti, tricota

Tricoti, tricota…
Quel travail, quel tracas !
Le plus frileux des chats
Se tricote des bas.

Cela fait ricaner
Le dogue qui ne craint
Ni l'averse glacée
Ni la neige et son train.

Le tricot traîne, traîne.
Mon chat est maladroit.
Il lui faut des semaines
Pour achever son bas,

Bas de chat, bas de laine,
Bas qu'il n'enfilera
Que pour courir sur les toits.
Tricoti, tricota…

Maurice CARÊME

(© Fondation Maurice Carême)

Lis cette interview pour mieux connaître le métier de vétérinaire.

François Desjardins, médecin vétérinaire

François, comme les animaux ne parlent pas, comment fais-tu pour savoir quelle maladie ils ont ?

Je pose des questions à leurs maîtres. Je leur demande si leur animal a de l'appétit, s'il boit plus, s'il boite. Il y a aussi certains signes. Par exemple, un chien qui fait de la fièvre peut se coucher sur un plancher froid ou se rouler en boule.

Ensuite, j'examine l'animal, je prends sa température. Je peux aussi lui faire des radiographies ou des prises de sang.

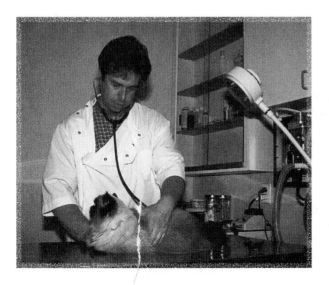

Il y a plusieurs espèces d'animaux. Y a-t-il aussi plusieurs espèces de maladies ?

Oui. Les chiens et les chats se ressemblent beaucoup, par exemple, mais certaines maladies ne touchent que les chats et d'autres ne touchent que les chiens.

Beaucoup d'amis de deuxième année voudraient que leurs parents leur achètent un animal. Qu'est-ce que tu en penses ?

Un animal, c'est une grande responsabilité. Il faudra que les parents de ces enfants soient prêts à les aider, parce qu'ils ne pourront pas s'occuper tout seuls de leur animal. Un animal, ce n'est pas un jouet ou un compagnon pour les vacances seulement. Quand on a un animal, c'est pour des années.

Est-ce que tu as vu des cas où des enfants ont maltraité leur animal ?

Parfois, des jeunes peuvent faire du mal à un animal sans le vouloir. Ils peuvent faire mourir leurs poissons en leur donnant trop de nourriture, par exemple. Ils peuvent aussi rendre leur chien malade en leur donnant des restes de leur propre repas.

Je me souviens qu'un jour j'ai soigné un pauvre berger anglais auquel des enfants avaient mis des élastiques aux pattes pour s'amuser. Sa jambe était très enflée. J'ai dû lui faire une centaine de points de suture. Ça m'a fait beaucoup de peine.

■ Aurais-tu d'autres questions à poser au vétérinaire ?

Pour son anniversaire, Aminata a reçu un cadeau qu'elle cherche partout. Lis le texte pour découvrir de quel cadeau il s'agit.

Où est Léon ?

C'est l'anniversaire d'Aminata. Son père a promis de lui donner un cadeau très amusant. Pendant qu'Aminata joue dehors avec des amis, maman en profite pour faire un bon dessert aux ananas. Des dizaines de mouches viennent bourdonner autour. Maman les chasse à grands coups de torchon.

Aminata rentre à la maison. Elle attend impatiemment le cadeau de son père. Il arrive enfin et lui donne une boîte de carton percée de trous. Les yeux d'Aminata brillent de plaisir.

« Maman, viens voir mon cadeau ! » dit Aminata en soulevant le couvercle.

Maman regarde dans la boîte et fait une grimace.

« Quelle horreur !

— Je vais l'appeler Léon, dit fièrement Aminata. Léon le caméléon !

— Ah non ! proteste maman. Je ne veux pas de cette bestiole dans ma maison !

— C'est vrai qu'il n'est pas très joli, dit papa. Mais le vendeur m'a dit que c'était un extraordinaire tue-mouches.

— Il ne t'embêtera pas, maman. Je vais prendre bien soin de lui », promet Aminata.

Pendant qu'Aminata discute avec ses parents, Léon décide de sortir de sa boîte pour aller explorer la maison.

« Mais où est-il passé ? s'écrie maman en voyant la boîte vide.

— Il ne doit pas être bien loin, dit Aminata. Je vais le chercher ! »

Léon le caméléon aime beaucoup sa nouvelle maison. Il grimpe sur les meubles, sur les murs, et personne ne le voit !

C'est que Léon a un don. Il peut prendre la couleur des objets qui l'entourent. Tantôt il ressemble à une lampe, tantôt à du papier peint. Il est presque invisible !

Aminata trouve enfin son copain Léon.

« Maman, papa ! Venez voir, vite ! »

Maman et papa arrivent dans
le couloir.

« Où ça ? Je ne vois rien, dit maman.

— Là, à côté du parapluie »,
dit papa en éclatant de rire.

Maman met ses lunettes et
s'approche. Mais oui ! c'est
bien Léon qui se prend pour
un parapluie !

« Ce caméléon est un vrai bouffon !
dit maman en riant.

— Et tu as vu comme il attrape les
mouches ? ajoute Aminata.
Un vrai champion !

— C'est bon, dit maman. Tu peux le garder, mais je ne veux
pas le voir rôder partout dans la maison. Et où est-il passé
maintenant, notre fameux Léon ? »

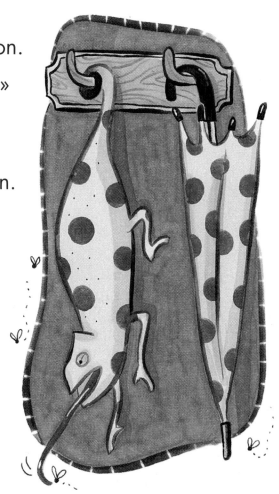

■ Connais-tu d'autres animaux qui se camouflent ?

Essaie de répondre aux questions que les élèves de ma classe se posent sur les sens, et lis ensuite les réponses qu'ils ont trouvées.

Pourquoi ?

1 Quel est le plus gros organe des sens du corps humain ?

2 Est-ce que tout le monde voit les couleurs de la même façon ?

3 Est-ce que tu entends les mêmes sons que les animaux ?

4 Est-ce que tu goûtes les aliments avec ta langue ou avec ton nez ?

5 Un de tes organes des sens contient des os. Sais-tu lequel ?

6 Comment notre nez fait-il pour sentir les odeurs ?

Compare maintenant tes réponses avec celles que mes élèves ont trouvées en faisant leurs recherches.

... parce que

1 C'est la peau, qui enveloppe tout notre corps. La peau est un organe très complexe. Dans 1 cm^2 de peau, il y a 2 glandes sébacées, 3 récepteurs de froid, 15 poils, 18 récepteurs de chaleur, 38 récepteurs de pression, 150 glandes sudoripares, 300 récepteurs de douleur et aussi 4500 terminaisons nerveuses.

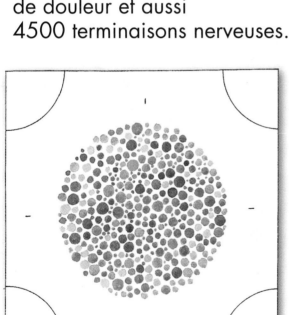

2 Certaines personnes ne distinguent pas bien le rouge et le vert. D'autres personnes voient tout en noir, en blanc et en gris. Ces personnes sont daltoniennes.

3 Il y a des sons très graves ou des sons très aigus que tu n'es pas capable d'entendre, mais que les chiens, les chats ou les dauphins entendent très bien.

4 Tu goûtes les aliments surtout grâce à ton nez. Avec ta langue, tu perçois seulement quatre saveurs : le sucré, le salé, l'amer et l'acide. Essaie de manger des aliments en te bouchant le nez et tu verras que tu ne goûteras pas grand-chose.

5 C'est l'oreille. Notre oreille contient les plus petits os de notre corps. Ces osselets s'appellent marteau, enclume et étrier. Ils rendent plus forts les sons qui viennent faire vibrer le tympan.

6 Il y a au fond de notre nez une petite région qui contient des millions de cellules nerveuses. Les choses qui ont une odeur, des fleurs ou des fruits par exemple, envoient dans l'air des particules très petites qu'on appelle des molécules. Quand ces molécules arrivent au fond de notre nez, elles sont captées par les cellules nerveuses. Des nerfs spéciaux envoient un signal à notre cerveau qui analyse l'odeur des molécules.

■ Organise une exposition qui fait appel à tous tes sens.

Lis ce poème amusant sur les grimaces.

Fais des grimaces

Fais des grimaces
Devant ta glace :
Cheveux tondus,
Bouche tordue,
Narines béantes,
Oreilles pendantes,
Yeux clignotant,
Dents cliquetant,
Menton en gamelle,
Joues en dentelle…

Fusion
De l'illusion
Et de la réalité,
Tu verras, mon mignon,
Comme il est aisé…
D'être laid !

Robert GÉLIS

(Extrait de
Poèmes à tu et à toi,
© Éditions Magnard)

Réalise ces deux expériences pour en apprendre davantage sur deux sens : le toucher et le goût.

Expériences sur les sens

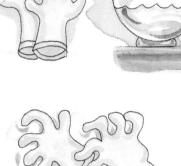

Les mains mouillées

Voici une expérience qui te fera croire que tes mains sont mouillées même si elles sont sèches.

Matériel

- des gants de caoutchouc
- un bol d'eau glacée
- un bol d'eau assez chaude

Réalisation

1. Mets les gants de caoutchouc.

2. Plonge tes mains dans l'eau chaude. Comment sont tes mains ?

3. Plonge maintenant tes mains dans l'eau froide. As-tu l'impression qu'elles sont mouillées ? Sais-tu pourquoi ?

La carte de la langue

Cette expérience te fera découvrir quelles parties de ta langue goûtent le salé, le sucré, le sur et l'amer.

Matériel

- quatre soucoupes
- du sucre, du sel, du vinaigre et du jus de pamplemousse
- des crayons de couleur
- des coton-tige
- des cuillers doseuses

Réalisation

1 Mets un peu d'eau dans trois soucoupes.

2 Ajoute 15 ml de sucre dans la première, 5 ml de sel dans la deuxième et 5 ml de vinaigre dans la troisième.

3 Verse un peu de jus de pamplemousse dans la quatrième soucoupe.

4 Sur une feuille, dessine ta langue.

5 Trempe un coton-tige dans la première soucoupe. Pose-le sur différentes parties de ta langue. Chaque fois que tu perçois un goût sucré, marque l'endroit sur le dessin de ta langue.

6 Fais la même démarche avec les liquides des trois autres soucoupes en te rinçant bien la bouche chaque fois.

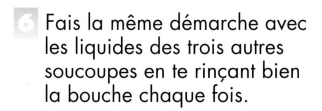

7 Compare la carte de sensations de ta langue avec celles de tes camarades.

■ Connais-tu d'autres expériences sur les sens ?

Lis cette histoire étrange dans laquelle un nez devient un personnage important.

Le nez

Ce jour-là, 25 mars dernier, il arriva dans notre ville une aventure très étrange. Koliakov se réveilla d'assez bonne heure. Il s'étira et se fit donner un miroir. À son immense surprise, il s'aperçut que la place que son nez devait occuper ne présentait plus qu'une surface lisse ! Il s'habilla et se rendit tout droit chez le chef de police.

Dans la rue, il s'arrêta, cloué sur place. Une voiture venait de s'arrêter devant la porte d'une maison; un personnage en uniforme sauta tout courbé de la voiture et grimpa l'escalier quatre à quatre.

Koliakov reconnut vite ce personnage. C'était son propre nez ! Au bout de dix minutes, le Nez réapparut; il portait un uniforme brodé d'or, à grand col droit, un pantalon de soie et une épée au côté.

Le pauvre Koliakov ne savait que penser de cet étrange incident. Hier, son nez était bien planté au milieu de son visage. Pourquoi aujourd'hui portait-il un uniforme ?

Il tourna autour du personnage en toussotant. Mais le Nez ne bougea pas.

« Je suis surpris, monsieur; vous devriez un peu mieux connaître votre place...

Enfin, monsieur, n'êtes-vous pas mon propre nez ? »

Le Nez considéra Koliakov avec un léger mépris.

« Vous vous trompez, monsieur, je n'appartiens qu'à moi-même. »

Sur ce, le Nez tourna le dos à Koliakov, puis disparut parmi la foule.

« Saperlipopette ! » maugréa Koliakov. Il décida de publier dans les journaux une description détaillée de son nez.

L'employé se mit à réfléchir.

« Non, déclara-t-il après un long silence. Aucun journal ne voudra publier une telle annonce. »

Sur ces mots, Koliakov quitta le bureau d'annonces et se rendit chez le chef de police du quartier.

Le policier reçut Koliakov plutôt froidement. « On ne procède point à des enquêtes aussi tôt après dîner; d'ailleurs un homme comme il faut ne se laisse pas priver de son nez. » Koliakov rentra chez lui très fâché.

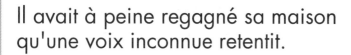

Il avait à peine regagné sa maison qu'une voix inconnue retentit.

« C'est bien ici qu'habite M. Koliakov ? Vous avez perdu votre nez ? Eh bien, il est retrouvé !

— Comment l'a-t-on retrouvé ?

— Oh, d'une manière fort étrange ! Je l'ai tout d'abord pris pour un monsieur ! Heureusement que j'avais mes lunettes ! Cela m'a permis de reconnaître que ce n'était qu'un nez. »

Koliakov ne se sentait plus de joie.

« C'est lui, c'est bien lui ! dit-il. Je le reconnais à ce gros bouton sur la narine gauche ! »

Les mains tremblantes, Koliakov se précipita vers le miroir. Il avait peur de replacer son nez de travers ! Doucement, avec précaution, il le posa à son ancienne place. Horreur ! le nez ne voulait pas tenir !

« Allons, allons ! remets-toi
en place, animal ! » lui disait-il.
Mais le nez semblait sourd et
retombait chaque fois sur
la table.

« Le diable seul pourrait
débrouiller l'affaire ! »
s'exclama-t-il avec désespoir.

***

Il se passe sur cette terre des choses bien bizarres. Un beau jour,
ce fameux nez se retrouva soudain à son ancienne place,
comme si rien ne s'était passé, c'est-à-dire entre les deux joues
de Koliakov. L'événement eut lieu le 7 avril.

Depuis lors, Koliakov se fait
voir partout. Et son nez
demeure planté au bon endroit,
comme s'il n'avait jamais eu
la fantaisie d'aller se promener
ailleurs.

À bien y réfléchir, beaucoup
de détails paraissent
incroyables dans l'histoire
du pauvre Koliakov.

Mais vous aurez beau dire,
des aventures comme cela
arrivent en ce monde.
C'est rare, mais cela arrive.

(Nicolas GOGOL, dans *Les nouvelles pétersbourgeoises*)

■ Trouve des expressions sur le nez, la tête, les mains…

Révisons ensemble

On a souvent avantage à combiner la stratégie du masque avec celle du hibou. Ces deux stratégies nous aident à regrouper les mots qui vont ensemble.

Il y a au fond de notre nez/une petite région/ qui contient/des millions de cellules nerveuses.

Je trouve que le **c** et le **g** sont deux lettres bien capricieuses !

c		g	
cadran corde culbuter	français reçu leçon	garde rigolo Gustave aigu	guirlande déguiser vague guerre
cerceau citrouille		manger rougir	orangeade pigeon

Monique nous a appris un nouveau supertruc qu'elle appelle « feu vert, feu rouge ». C'est un bon moyen pour nous aider à comprendre ce que nous lisons. La majuscule au début de la phrase, c'est un feu vert qui m'indique de commencer à lire. Le point à la fin de la phrase, c'est comme un feu rouge qui me dit que la phrase finit. Si je n'ai pas bien compris la phrase, je prends un moyen pour m'aider à mieux la comprendre.

AUTOUR DE MOI

◆ **Dis à un ami ou une amie ce que tu aimes toucher, sentir, voir, entendre et goûter.**

◆ **J'ai amené un raton laveur à l'école. Ce n'était pas une bonne idée. Toi, sais-tu distinguer les animaux domestiques des animaux sauvages ?**

Révisons ensemble

- En survolant le texte *Aux petits soins*, j'ai vu plusieurs intertitres. Chacun mentionnait un animal différent. Je me suis demandé ce que je savais sur chacun d'eux. Ce texte a répondu à plusieurs des questions que je me posais sur les soins à donner aux animaux.

- Avant d'écrire un texte sur mon animal préféré, je réfléchis à tout ce que je sais sur lui. J'en discute ensuite avec mes amis. Je pense à ce que je pourrais écrire : son apparence, les soins à lui donner, ses caractéristiques spéciales, etc. Je fais ensuite des recherches. Je dresse une liste des mots que je pourrais utiliser. Je suis alors prêt à écrire mon texte.

- Pour marquer le début de mes phrases, je mets une majuscule. Pour marquer la fin de mes phrases, je place un ⊙ , un ⑦ ou un ① . Toi, sais-tu quand utiliser l'un ou l'autre des points ?

> Après avoir écrit mon texte, je vérifie ma ponctuation en marquant en **rose** le début et la fin de mes phrases.

POUR T'AMUSER

- ◆ **Écris des fiches d'information sur des animaux sauvages ou domestiques. Tu peux faire tes recherches sur Internet ou sur cédérom et réaliser tes fiches à l'ordinateur.**

- ◆ **Tu aimes les expériences ? Tu trouveras à la bibliothèque des livres qui te permettront d'en faire. Réalises-en une et présente-la à tes amis.**

Lis cette belle histoire sur trois petits vagabonds qui se cherchent une maison.

Trois petits vagabonds

Il était une fois trois enfants vagabonds qui n'avaient pas de famille, pas de maison. D'ailleurs, ils n'avaient même pas de nom. Ils n'avaient pour tout bien qu'un lapin qui n'avait pas de queue.

Malgré leur infortune, les enfants étaient débrouillards et courageux. Bravant la tempête ou l'obscurité, ils allaient à pied, de village en village, pour subsister.

Par un matin froid de décembre,
les trois petits vagabonds arrivèrent
près d'un village endormi. Comme
ils avaient faim, ils allèrent tout droit
chez la boulangère.

« Nous vous aiderons à cuire
le pain en échange de quelques
galettes, dit le garçon qui n'avait
pas huit ans.

— Mes pauvres enfants ! répondit
la boulangère qui n'avait pas
d'enfants. Je n'ai plus ni pain
ni farine. Je n'ai plus rien ! »

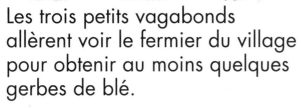

Les enfants se rendirent chez
le meunier. Mais son moulin
était depuis des mois arrêté.

« Je n'ai plus un seul grain
de blé à moudre !
se lamenta-t-il. C'est
la famine ! »

Les trois petits vagabonds
allèrent voir le fermier du village
pour obtenir au moins quelques
gerbes de blé.

« Le roi m'a confisqué tout mon
blé, dit le fermier aux enfants.
Il m'a accusé d'avoir volé sa
couronne. Mais c'est un
magicien qui l'a volée. »

Voulant aider les pauvres villageois, les petits vagabonds décidèrent de se rendre dans la noire montagne pour voir le malin magicien Sarrasin.

Après des heures de pénible marche dans la neige, ils arrivèrent à sa grotte qui n'avait pas de porte.

« Un magicien sans lapin, ça ne vaut rien ! » dit avec assurance le garçon qui n'avait pas la langue dans sa poche.

Après avoir longtemps discuté, le magicien Sarrasin accepta enfin d'échanger contre le lapin sans queue la couronne du roi qu'il avait volée.

Les enfants se rendirent alors au château qui n'avait pas de drapeau. En échange de la magnifique couronne sertie de pierres précieuses, le roi leur donna tout le blé qu'il avait confisqué au pauvre fermier.

Les trois vagabonds revinrent au village tout contents. Le fermier livra son blé chez le meunier, qui put enfin faire tourner son moulin. Avec la farine de blé, la boulangère fit des dizaines de pains et de gâteaux. Il y eut une grande fête au village. Tout le monde avait enfin retrouvé sa gaieté.

Les trois enfants vagabonds s'installèrent l'un chez le fermier, l'autre chez le meunier, l'autre chez la boulangère. Ils avaient trouvé une famille, un métier et une maison. Et ils avaient aussi trouvé un nom, car on les appela désormais Paillé, Meunier et Boulanger.

■ Participe à un théâtre de lecteurs.

Lis ce texte sur l'évolution de deux métiers.

Les métiers au fil du temps

À l'imprimerie en 1890

Carl travaille dans une imprimerie. Il est typographe. Il travaille debout devant une grande boîte de bois à 114 compartiments où sont rangées de petites lettres en métal. Avec précision, il place rapidement les lettres les unes à côté des autres sur un composteur pour former des mots et des phrases. Quand il a terminé une ligne, il la place dans un plateau. Entre chaque ligne, il met une lame de métal, l'interligne. La page est finie. Carl lie le bloc de métal avec de la ficelle. La page est prête à imprimer.

... aujourd'hui

Carole est typographe. Elle écrit son texte à l'ordinateur. Elle tape de 90 à 100 mots à la minute. En un rien de temps, elle apporte toutes sortes de changements au texte. Elle remplace des mots, elle déplace des lignes et des paragraphes. Quand son texte est terminé, elle fait la mise en pages. Elle choisit de gros caractères pour les titres. Elle place des photos et des illustrations dans le texte. Une fois que le texte a été relu et corrigé, Carole le transfère sur un disque optique compact qu'elle envoie à l'imprimerie.

Chez le dentiste en 1890

Louis est dentiste. Il va extraire les six dents cariées de son patient. Il utilise une grosse pince et il tire très fort pour détacher les dents. Louis ne veut pas donner une piqûre anesthésiante à son patient, parce que cela pourrait le rendre très malade. Il demande à son assistant de venir s'asseoir derrière le patient et de retenir sa tête avec un morceau de tissu. Pendant l'opération, le patient crie très fort, parce que la douleur est insupportable. Quand les dents sont extraites, Louis met des tampons de ouate dans les trous.

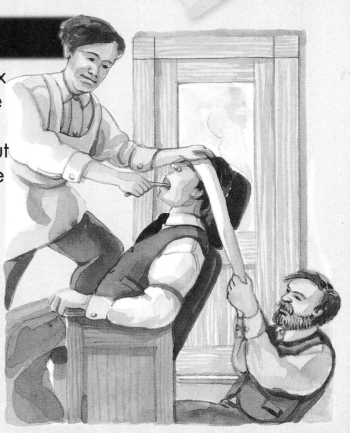

... aujourd'hui

Louise est dentiste. Grâce à une radiographie, elle a décelé deux caries chez sa patiente. Elle enlève les parties cariées avec une fraise électrique très précise. La jeune fille ne ressent aucune douleur, parce que Louise lui a fait une piqûre anesthésiante. Ensuite, elle applique le plombage composite blanc fait à partir d'un mélange de résines. Pour le faire durcir, elle utilise une lampe à rayons ultraviolets. C'est terminé. Louise met tous les instruments qu'elle a utilisés dans une machine afin de les stériliser.

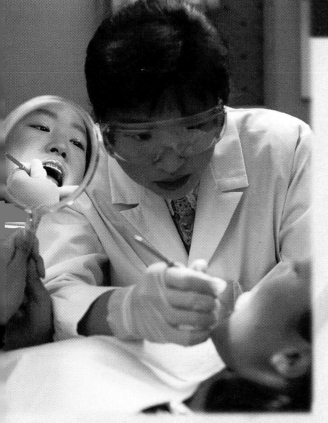

■ Toi, quel métier rêves-tu de faire quand tu seras adulte ?

Trouve les outils dont on parle dans cette chanson de Gilles Vigneault.

Les outils

Ami de bel ouvrage,
Apporte tes outils,
Tes mots et tes mirages
Et tout ce qui bâtit.
Sur l'eau et sur le sable
On bâtit rarement :
L'eau est insaisissable
Et le sable est mouvant.

Mais tous les deux ensemble
Renforcent le ciment.
Je veux que leur ressemblent
Ma parole et mon chant.
Ma parole est sensible
Au cri le mieux caché,
Ton oreille est la cible
Que mon chant veut toucher.

Tel apporte sa pierre,
L'autre son fil à plomb.
Le fer, le bois, le verre
Encadrent l'horizon.
C'est chacun sa manière
De bâtir la maison.
Apporte ta prière...
J'apporte ma chanson.

Gilles VIGNEAULT

Scrooge, un homme riche et avaricieux, aura-t-il un jour l'esprit de Noël ? Lis cette histoire de Charles Dickens pour le savoir.

L'esprit de Noël

Le fantôme

La veille de Noël, le vieux Scrooge travaillait dans son magasin mal chauffé. Son employé, Bob Cratchit, était transi de froid. La porte s'ouvrit.

« Joyeux Noël, oncle Scrooge ! s'écria son neveu. Je t'invite chez moi pour fêter !

— Fêter Noël ? Laisse-moi tranquille ! dit brutalement Scrooge. Quant à vous, Cratchit, rentrez tôt au travail après-demain. Quelle perte d'argent, toutes ces fêtes ! »

Au même moment, un homme se présenta à la porte.

« Qu'y a-t-il ? gronda Scrooge.

— Joyeux Noël ! dit-il gentiment. Nous ramassons de l'argent pour les pauvres…

— Vous n'aurez rien de moi », lança Scrooge en lui claquant la porte au nez.

Plus tard, l'avare rentra chez lui. Aussitôt installé devant la cheminée, il entendit un bruit de chaînes effrayant.

« Qui est là ? demanda-t-il.

— Je suis un fantôme qui a
été puni de son avarice.
Cette nuit, trois esprits
viendront te hanter.
Écoute bien leurs messages.
Tu pourras peut-être éviter
les chaînes éternelles… »

Sur ces mots, le fantôme
disparut. Scrooge,
mort de peur,
se cacha sous
ses couvertures.

Les trois esprits

À minuit sonnant, Scrooge s'éveilla en sursaut et il aperçut un étrange personnage.

« Je suis l'esprit des Noëls
passés, dit-il. Suis-moi,
Scrooge. »

Scrooge fut transporté dans
le village de son enfance.
Il revit une belle fête qui avait
eu lieu chez son patron,
lorsqu'il était apprenti.
Il était joyeux. Puis Scrooge
vit son premier Noël d'avare
solitaire. Ce qui l'attrista
immédiatement.

Plus tard, le deuxième esprit fit son apparition.

« Je suis l'esprit du Noël présent, dit-il. Suis-moi, Scrooge. »

Bientôt, ils se retrouvèrent devant la maison de Bob Cratchit, l'employé de Scrooge. Lui, sa femme et leurs enfants étaient très pauvres, mais joyeux. Ils préparaient le réveillon. Un des enfants, Tim, était très malade. Scrooge en eut pitié.

L'esprit emmena ensuite le vieil homme chez son neveu. Tout le monde participait à des jeux amusants. Scrooge aurait bien voulu rester, mais il se réveilla seul dans son lit froid.

Enfin, le dernier esprit lui apparut.

« Tu es l'esprit des Noëls à venir ? » demanda
Scrooge. L'esprit fit signe que oui.
Il l'emmena au cimetière devant
une pierre tombale gravée à son
nom : Ebenezer Scrooge. Puis il
l'entraîna devant une autre, au nom
du fils malade de son employé : Tim
Cratchit. La famille de Bob Cratchit
pleurait le jeune Tim, mais il n'y avait
personne devant la tombe de Scrooge.
Au loin, il voyait des voleurs qui
dévalisaient sa maison. Personne
ne s'attristait de sa mort.

« Aidez-moi ! hurla Scrooge.
Permettez-moi de devenir
meilleur ! »

L'esprit, muet, s'envola aussitôt
en fumée.

La fin de l'histoire

Quand Scrooge se réveilla,
il faisait soleil. Il entendit un
chant de Noël qui provenait
de la rue. Le vieux ouvrit sa
fenêtre et lança des poignées
d'argent aux chanteurs.

Scrooge acheta ensuite une énorme dinde qu'il fit livrer chez Bob Cratchit. Puis il se rendit chez son neveu où il passa un très joyeux Noël.

Le lendemain, au bureau, Scrooge offrit une grosse augmentation de salaire à son employé et il lui proposa de faire soigner son fils Tim. Bob Cratchit n'en croyait pas ses oreilles.

Ainsi, Scrooge était devenu bon et généreux, et il le demeura jusqu'à la fin de ses jours. Et on raconte que personne ne savait fêter Noël comme lui !

■ Trouve d'autres contes de Noël.

Charles Dickens

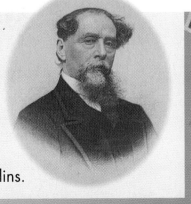

Charles Dickens est né en Angleterre en 1812. Il a vécu une jeunesse très difficile. À 12 ans, son père fut emprisonné à cause de ses dettes. Charles Dickens dut quitter l'école pour travailler dans une manufacture de chaussures. Il a vécu tout seul avec ses peurs dans une misérable chambre de Londres. Cette expérience a marqué l'auteur. C'est pourquoi on trouve dans ses histoires beaucoup de pauvres et d'orphelins.

Lis ces deux poèmes et essaie d'en apprendre un par cœur pour le réciter au temps des fêtes.

Poèmes

L'étoile

Une étoile rit
Dans le sapin gris
Qui a mis pour elle
Son habit de gel.

Dans le sapin gris
En habit de gel,
Une étoile rit :
Demain, c'est Noël !

Pierre CORAN

(*Le livre des fêtes et anniversaires*, © Buchet Chastel)

Nuit de Noël

C'est la nuit la plus longue
et le jour le plus court.

Sapin, lumières, joie :
Noël est de retour,

Pour qu'au fond de la nuit nous
espérions le jour.

Jacques CHARPENTREAU

(*Le livre des fêtes et anniversaires*, © Buchet Chastel)

■ Trouve de bonnes idées pour faire un coin de poésie et de chanson.

Lexibul se rend à une boutique de jouets pour acheter des cadeaux à ses amis. Pourra-t-il acheter tout ce qu'il veut ?

Les cadeaux de Lexibul

Lexibul est allé au magasin de jouets pour acheter de beaux cadeaux à ses amis. Il a choisi une fusée pour Ève et un tracteur pour David. Il a donné toutes ses économies à la marchande. Madame Tremblay lui a dit :

« Tu as choisi de beaux jouets, Lexibul. Mais il te manque encore 44,95 $! »

Lexibul ne pouvait rien acheter. C'est alors qu'il a eu l'idée d'offrir en cadeaux des services ou des choses qu'il fabriquerait lui-même.

Le fleuriste me donne souvent des fleurs qu'il ne peut plus vendre. Je vais les faire sécher. Ça fera un beau bouquet pour Monique.

Hier, j'ai trouvé un petit coffret de bois. Je vais le décorer en faisant des collages avec des coupures de revues. Ève pourra y mettre ses objets précieux.

Jim a de la difficulté à comprendre son nouveau logiciel d'ordinateur. Je vais lui offrir 10 heures de consultation.

Madame Tanguay me donne souvent des légumes et des confitures. Je vais lui offrir de déneiger son escalier cet hiver.

J'ai déjà ramassé plein de beaux cailloux pour Paquita. Je vais décorer une boîte d'œufs et mettre les pierres dans les alvéoles. Ça va sûrement lui plaire !

Lexibul a encore plein de bonnes idées de cadeaux qui ne coûtent rien et qui font plaisir. Il est tout content. Il n'oubliera pas non plus de fabriquer des cartes de vœux pour chacun de ses amis.

Et il se dit qu'il est chanceux, parce qu'il a plein d'amis de tous les âges autour de lui. Il veut profiter de Noël pour leur dire combien il les aime.

■ As-tu, toi aussi, des idées de cadeaux ?

Lis ce texte pour connaître d'autres grandes fêtes religieuses.

Fêtes de lumière

Divali

Divali est la fête des lumières des hindous. Pour eux, cette fête marque le début de l'année. Au premier jour de la fête, le père de Sat et d'Usha allume de petites lampes à huile pour éclairer chaque pièce de la maison. Durant les cinq jours de la fête, toute la famille rend visite aux parents et aux amis.

Dehors, il y a des lampes allumées dans les rues et autour des temples. Il y a aussi des lampes qui flottent sur l'eau comme de petits bateaux.

Id-Al-Fitr

Id-Al-Fitr est une fête religieuse très importante pour les musulmans, comme l'est Noël pour les chrétiens. La fête marque la fin du grand jeûne du Ramadan qui dure 30 jours. Ce jour-là, les musulmans se rendent en grand nombre à la mosquée pour se rencontrer et prier ensemble.

Id-Al-Fitr est une fête de réjouissances au cours de laquelle on s'échange des friandises et des cartes de souhaits. Les enfants, qui portent des vêtements neufs pour l'occasion, reçoivent des cadeaux.

Hanoukka

Hanoukka est la fête des lumières des juifs. Cette fête dure huit jours. Au premier jour de la fête, le père de David et de Sarah place le candélabre à huit branches devant la fenêtre pour qu'il soit bien visible du dehors. Ce soir, il allumera la première bougie. Les sept soirs suivants, il allumera une nouvelle bougie.

Au dernier jour de la fête, Sarah et David reçoivent des cadeaux. Ils s'amusent avec le dreidel, une toupie à quatre faces, pour tirer au sort les cadeaux qui leur sont destinés.

■ Imagine une décoration de Noël pour la classe.

Ève nous propose de faire un joli bricolage pour Noël.
Réalise-le.

Une surprise pour Noël

Matériel

- un carton souple
- de la laine ou du ruban
- des ciseaux
- de la colle
- des friandises
- du papier d'emballage

Réalisation

1 Découpe un rectangle de 15 cm
de long sur 10 cm de large dans
du carton souple.

2 Forme un rouleau de 10 cm
de long et colle-le.

3 Mets les friandises de ton choix
dans le rouleau.

4 Recouvre le rouleau avec du papier
d'emballage. Colle-le.

5 Coupe deux bouts de laine ou
de ruban de 25 cm.

6 Attache les deux bouts du rouleau
avec la laine ou le ruban.

7 Coupe les bouts en petites bandes.

8 Écris le nom de ton ami ou
de ton amie sur une petite
carte.

Révisons ensemble

- Quand je lis une phrase, je commence ma lecture à la majuscule et je la termine au point.

- Pour bien comprendre une phrase, je regroupe les mots qui vont ensemble. Comme un lapin, je saute d'un groupe de mots à un autre. Pour regrouper les mots, j'utilise différents indices, la virgule par exemple.

  Bravant la tempête ou l'obscurité, /ils allaient à pied, / de village en village, /pour subsister.

- Pour mieux comprendre une histoire, je m'arrête souvent en cours de lecture. Ça me permet de me faire des images dans ma tête et d'imaginer ce qui pourrait se passer dans la suite de l'histoire. En lisant le conte *L'esprit de Noël*, j'ai été très choqué par l'attitude de Scrooge. Je ne pensais jamais qu'il finirait par être généreux. Quel beau conte de Noël !

AUTOUR DE MOI

◆ Autour de moi, des gens travaillent pour me nourrir, me vêtir, me loger, me divertir. Nomme différents emplois et dis en quoi ils te sont utiles.

◆ J'ai trouvé plein d'idées de cadeaux qui ne coûtent presque rien. Toi, que penses-tu offrir aux gens que tu aimes ? Qu'aimerais-tu recevoir ? Selon toi, est-ce que ces cadeaux sont chers ?

Révisons ensemble

- On se sert constamment de l'ordre alphabétique pour trouver de l'information dans un dictionnaire, une encyclopédie ou une bibliothèque. Lorsque je cherche un mot ou un nom d'auteur, par exemple, je regarde d'abord l'ordre de la première lettre, puis de la deuxième et enfin de la troisième afin de repérer rapidement ce que je cherche.

- Sur une feuille, écris les mots suivants en ordre alphabétique.

  emballage   boîte   cadeau
  boule   enveloppe   bougie

- Un des groupes essentiels de la phrase est le groupe du nom. Le nom est le mot important de ce groupe. Observe.

  Tes petites filles t'embrassent sur les deux joues.

- Le nom peut être singulier, ta fille, ou pluriel, tes petites filles.

- Il peut être masculin, ton petit fils, ou féminin, ta petite fille.

- Les déterminants et les adjectifs sont des mots qui accompagnent le nom. Ils prennent le même genre et le même nombre que lui. Explique dans tes mots ce qu'est le genre et ce qu'est le nombre.

- Au pluriel, on met souvent un s : les petites filles.

- Au féminin, on met souvent un e : une jolie petite fille.

POUR T'AMUSER

- Fais une enquête. Dresse une liste des métiers que font les gens de ta famille ou de ton quartier. Explique chacun de ces métiers. Souligne ceux qui te plaisent le plus et dis pourquoi.

- Tu connais la chanson *Mon beau sapin*. Avec des amis, compose un autre couplet pour cette chanson.

Lis ce poème plein d'imagination sur le carnaval des animaux.

Le carnaval des animaux

Les bêtes sont dans l'atmosphère
Il y a de l'électricité dans l'air

Le vieux lion sort des bambous
Fier comme un puissant empereur
Puis il rugit quelques bons coups
Pour épater les spectateurs

Au bord de la crise de nerfs
Les poules courent dans tous les sens
Elles caquettent comme des commères
Et bousculent toute l'assistance

Les éléphants dans leur souffrance
Se cherchent un médicament
Les éléphants sont sans défense
Contre le mal de dents

Les kangourous en patins à roulettes
Font des acrobaties
Entre deux pirouettes
Ils grignotent des pâtisseries

La pieuvre avec ses tentacules
Dans les eaux vertes de l'étang
Essaie d'attraper les bulles
Que font les poissons élégants

L'âne commence un discours
Mais il est tellement ennuyant
Qu'on préférerait devenir sourd
Que d'écouter ses hi-hans

Le coucou retardataire
Hésite à sortir de chez lui
Et à laisser solitaires
Les bois désertés qui s'ennuient

Les oiseaux ont ôté leurs bagues
Et ils volettent en zigzag
Les pianistes jouent des gammes
Au lieu de faire valser les dames

Les bébés tyrannosaures
Chantent « Au clair de la lune »
Leurs mamans pourtant carnivores
Sirotent du jus de prune

Le cygne, cette vedette, prend des poses
Pour les photographes
Le voilà même qui propose
De signer des autographes

Quel tintamarre assourdissant
Les bêtes dansent le french-cancan
Le rap, la samba, le limbo
C'est le carnaval des animaux

Marie-Claude DÉSORCY

■ Fais parader tous tes animaux.

Dans ce texte, tu découvriras des créatures fabuleuses.
Laquelle te semble la plus effrayante ?

Créatures fabuleuses

Il y a des milliers d'années, les Grecs ont inventé des récits merveilleux pour raconter l'histoire de leurs dieux et déesses. Ces légendes sont remplies de créatures fabuleuses et assez effrayantes. Heureusement qu'elles n'ont jamais existé ! En voici quelques-unes.

Les Centaures

Les Centaures avaient une tête et un tronc humains sur un corps de cheval. Ils adoraient Éros, le dieu de l'amour, et Dionysos, le dieu du vin. La plupart des Centaures étaient méchants et brutaux.

Tous les Centaures étaient immortels, sauf l'un d'eux qui est devenu à sa mort la constellation du Sagittaire.

Le Sphinx

Le Sphinx avait un corps de lion, une tête de femme, deux ailes et une queue de dragon. Installé à l'entrée de Thèbes, une ville de Grèce, le Sphinx attendait les voyageurs. Il leur proposait des énigmes, des devinettes très difficiles. Si les voyageurs ne trouvaient pas la réponse, le Sphinx les dévorait aussitôt.

Les Gorgones

Les Gorgones étaient trois sœurs appelées Sthéno, Euryalé et Méduse. Elles avaient une chevelure de serpents entrecroisés, des dents de sanglier et des ailes d'or. On raconte que les humains qui les fixaient se changeaient instantanément en pierre. Le héros Persée réussit à tuer la Gorgone Méduse en se protégeant de son regard avec un bouclier.

Le Minotaure

Le Minotaure avait un corps d'homme et une tête de taureau. Il était le gardien d'un labyrinthe. Lorsqu'une personne se promenait dans les couloirs sans issue du labyrinthe, elle y trouvait la mort, car le sanguinaire Minotaure la dévorait cruellement. Chaque année, on donnait en sacrifice au Minotaure sept jeunes hommes et sept jeunes femmes. Le héros Thésée a réussi à le tuer en lui enfonçant dans le cœur une de ses propres cornes.

Les Cyclopes

Les Cyclopes étaient d'horribles géants qui n'avaient qu'un œil en plein milieu du front. C'étaient les enfants de Poséidon, le dieu des mers. Créatures très habiles, les Cyclopes ont fabriqué longtemps des armes magiques. Mais après avoir perdu leurs pouvoirs, ils sont devenus bêtes et méchants. En lui crevant l'œil, le héros Ulysse a réussi à échapper à un Cyclope qui voulait le dévorer.

Devinette

Saurais-tu résoudre une des plus célèbres énigmes du Sphinx ?
La voici :

« Quel est l'être qui marche à quatre pattes le matin, sur deux pattes l'après-midi et sur trois pattes le soir ? »

Lis bien les consignes d'Ève pour pouvoir réaliser toutes sortes d'animaux.

Des animaux à fabriquer

Un poussin en pâte à modeler

1 Forme deux boules jaunes : une pour la tête, l'autre pour le corps. Assemble-les avec un cure-dents.

2 Sur le corps, fixe deux triangles jaunes pour les ailes.

3 Sur le devant de la tête, ajoute un petit triangle orange pour le bec, puis deux petites boules d'une autre couleur pour les yeux.

Un chat en papier de soie

1 Chiffonne une boule pour le corps, puis une boule surmontée de deux petits triangles pour la tête et les oreilles.

2 Tortille une longue bande de papier pour la queue.

3 Forme deux petites boules d'une autre couleur pour les yeux.

4 Découpe de petites bandes de carton ou de chenille pour les moustaches.

5 Assemble le tout avec de la colle.

Un dromadaire en chenille

1 Pour reproduire le profil de la tête du dromadaire, forme une boucle avec l'extrémité d'une tige de chenille.

2 Pince-la afin de former deux petites oreilles.

3 Avec le prolongement de la tige, forme le cou et le corps.

4 À l'extrémité du corps, accroche deux tiges pour les pattes et tortille-les sur elles-mêmes.

5 Fais la même chose pour les pattes de devant, à la base du cou.

6 Stabilise le dromadaire sur ses pattes.

7 Enroule d'autres bouts de chenille sur son corps et sur sa tête afin de lui donner un peu de volume.

■ Écris un poème sur un animal que tu as fabriqué.

Quatre animaux abandonnés par leurs maîtres se rencontrent. Que feront-ils pour survivre ?

Les musiciens de Brême

Un jour, un âne, un chien, un chat et un coq se rencontrèrent sur la route de Brême. Leurs maîtres les trouvaient trop vieux et ils avaient décidé de s'en débarrasser. Chacun avait échappé de justesse à la mort. Les nouveaux compagnons décidèrent de faire route ensemble et de gagner leur vie en faisant de la musique.

La nuit tombée, ils aperçurent une belle cabane dans la forêt.

« Allons y passer la nuit », dit le coq.

Malheureusement, la cabane était un repaire de bandits. Comment les chasser ?

Les compères trouvèrent finalement un moyen.
L'âne se dressa sur ses pattes, devant la
fenêtre. Le chien grimpa sur sa tête. Le chat
monta sur le dos du chien. Le coq se percha
sur le dos du chat. Et, ensemble, les amis se
mirent à crier très fort. Puis ils bondirent par
la fenêtre en faisant trembler les murs.

Pris de panique, les bandits s'enfuirent
à toutes jambes. Les vieux animaux
s'installèrent confortablement dans
la maison pour dormir.

Après minuit, les voleurs revinrent prudemment à
la maison. Le chef envoya un de ses hommes
explorer les lieux. Le bandit entra dans la
cabane sur la pointe des pieds et il enflamma
une allumette.

Réveillé en sursaut, le chat sauta sur
le voleur et lui griffa le visage.
En reculant, l'homme écrasa la
queue du chien, qui lui mordit
aussitôt le derrière.

Pris de panique, le coquin sortit
de la cabane en vitesse.
Mais il tomba alors sur l'âne
qui l'expédia dans le fumier
d'un coup de sabot. Et le coq
lança son cocorico à pleins
poumons.

Terrifié, le bandit courut
raconter ses mésaventures.

« Cette cabane est hantée !
Une sorcière m'a griffé
le visage avec ses doigts
crochus. Ensuite, un lutin
m'a piqué les fesses
avec des couteaux. Et dans
la cour, un gros monstre m'a
assommé avec une massue.
Quand je me suis relevé,
j'ai entendu un juge
qui criait "coquincoquin…
coquincoquin…
coquincoquin…". »

Les voleurs n'osèrent plus jamais revenir à leur repaire.
Et les quatre musiciens vécurent longtemps heureux
dans leur cabane.

■ Imagine une histoire avec des animaux.

Lis ce poème pour savoir comment un chameau est devenu dromadaire.

Le chameau

Un chameau entra dans un sauna.
    Il eut chaud,
    Très chaud,
    Trop chaud.

    Il sua,
    Sua,
    Sua.

    Une bosse s'usa,
    S'usa,
    S'usa.

L'autre bosse ne s'usa pas.

Que crois-tu qu'il arriva ?

Le chameau dans le désert
Se retrouva dromadaire.

Pierre CORAN

(© Pierre Coran)

Aujourd'hui, nous avons reçu en classe une invitation très mystérieuse. Sais-tu qui nous a invités ?

Une mystérieuse invitation

Soudain, vendredi après-midi, toutes les lumières se sont éteintes ! Ensuite, des étoiles sont apparues dans la classe. Puis l'ordinateur s'est allumé tout seul et une belle musique étrange a commencé à jouer. Quel mystère !

Alors, Lexibul est apparu à l'écran.

« Bonjour, les amis ! Vous trouverez des cartons d'invitation dans une boîte spéciale que j'ai cachée au coin des sciences. À ce soir ! »

Quelle belle surprise !

Bonjour Ève,
Je t'invite à la grande fête des étoiles.
Lieu : chez moi, dans la forêt.
Heure : 20 heures.
À bientôt !

Aussitôt, l'ordinateur s'est éteint.

Ève a trouvé la boîte. Les amis ont lu leurs messages d'invitation écrits à l'encre fluorescente sur de beaux cartons noirs.

Avec Lexibul et ses amis, découvre les merveilles de l'Univers.

L'univers de Lexibul

Avec des matériaux de récupération, Lexibul a fabriqué un gros télescope. Il a transformé une cabane abandonnée en observatoire et en musée de l'espace. Cette nuit, il a invité ses amis à découvrir avec lui les merveilles de l'Univers.

Notre système solaire

La Terre est une des neuf planètes qui tournent autour de notre étoile, le Soleil. Elles sont très différentes les unes des autres. Les plus petites, Mercure, Vénus et Mars, sont formées de roches comme la Terre. Les plus grosses, Jupiter, Saturne et Uranus, sont formées d'énormes masses de gaz.

Jupiter, la planète géante. Cette gigantesque boule pourrait contenir 1300 planètes Terre !

Saturne, la deuxième plus grosse planète du système solaire. Elle est remarquable à cause de ses anneaux. Ils sont faits de particules de glace, de roches et de poussières.

1	Mercure	**4**	Mars	**7**	Uranus
2	Vénus	**5**	Jupiter	**8**	Neptune
3	Terre	**6**	Saturne	**9**	Pluton

La Lune n'est pas une planète. C'est un satellite de la Terre. Sa surface est pleine de gros trous. Ce sont des cratères qui ont été formés par la chute de grosses météorites.

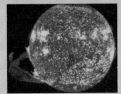

Le Soleil est une immense boule de gaz brûlants. Il pourrait contenir un million de planètes de la taille de la Terre. À l'intérieur du Soleil, la chaleur atteint 15 000 000 °C. Ce sont la chaleur et la lumière du Soleil qui rendent possible la vie sur Terre.

Notre galaxie

Notre étoile, le Soleil, fait partie d'un gigantesque tourbillon qui compte environ cent milliards d'étoiles. C'est notre galaxie, la Voie lactée. Vue de côté, notre galaxie ressemble un peu à un œuf avec un gros jaune au milieu. Vue de haut, elle ressemble plutôt à une spirale. Notre système solaire se trouve assez loin du centre de la galaxie, dans le bras d'Orion.

La Voie lactée vue de côté.

La Voie lactée vue de haut.

Les constellations

Il y a très longtemps, les humains ont donné des noms imagés à des regroupements d'étoiles dans le ciel. Une des constellations les plus connues s'appelle la Grande Ourse. On y trouve un groupe de sept étoiles qui ressemble beaucoup plus à une casserole qu'à une ourse.

On voit sur ce dessin la Grande Ourse et la Petite Ourse. En te guidant sur le rebord de la casserole de la Grande Ourse, tu peux repérer l'étoile Polaire qui fait partie de la Petite Ourse. Depuis des milliers d'années, les humains se guident la nuit grâce à cette étoile qui indique le pôle Nord.

Autour du feu

Les amis regardent le beau ciel étoilé, assis autour du feu de camp. Quelle soirée magique ils ont passée ensemble ! Ils continuent à se poser des tas de questions : « Quand le Soleil va-t-il s'éteindre ? », « Qu'est-ce qu'un trou noir ? », « Depuis quand l'Univers existe-t-il ? ». Lexibul propose aux amis de former des équipes de recherche pour mieux documenter leur musée de l'espace.

■ Trouve de bonnes idées pour le musée de l'espace.

Les nébuleuses

Il existe dans l'Univers d'immenses masses de gaz et de poussières qu'on appelle des nébuleuses. Quand il y a des étoiles à l'intérieur, elles prennent de magnifiques couleurs. Il y a très peu de matière dans ces gigantesques nuages. Une nébuleuse grosse comme la Terre ne pèserait pas beaucoup plus qu'un kilogramme.

Aimes-tu autant la Lune que ce poète ?

La lune

La lune était si belle cette nuit
que je suis sorti de ma chambre
pour aller au jardin.

La lune était si blanche cette nuit
que j'ai vu dormir la colombe
sur la branche de l'if.

La lune était si claire cette nuit
que j'ai pu lire dans le jardin
un livre qui parlait de la lune.

Jean JOUBERT

(Tiré de *Poèmes de la lune et quelques étoiles*, © L'école des loisirs)

■ Compose des poèmes sur la Lune et les étoiles.

L'idole d'Ève

Ève a une grande admiration pour Julie Payette. Cette astronaute canadienne est ingénieure en électricité et pilote d'avion professionnelle, mais elle a aussi beaucoup d'autres talents. Elle est une très bonne chanteuse et une excellente pianiste, en plus de parler couramment le français, l'anglais, l'espagnol, l'italien, le russe et l'allemand. Ève veut suivre ses traces pour devenir elle aussi une astronaute.

Lis ce beau conte amérindien sur sept frères très pauvres pour pouvoir le raconter.

Les sept frères

Dans la Grande Prairie, il y avait sept frères très pauvres. Leur père était un mauvais chasseur et il ne leur apportait jamais rien à manger.

Chaque soir, pour tromper leur faim, les frères s'assoyaient autour d'un grand feu. Ils faisaient semblant de manger de grosses cuisses de bison rôties. Et après leur repas imaginaire, ils dansaient ensemble toute la nuit.

Quand l'hiver arriva, les garçons étaient devenus très maigres et très faibles. Ils n'avaient même plus la force de danser. Ils décidèrent donc de se réunir autour du feu pour tenir un conseil.

« Nous ne pourrons plus vivre très longtemps, dit le plus jeune. Demandons au Grand Esprit de nous changer en terre.

— Non. Demandons-lui de nous changer en rochers, dit le deuxième frère.

— La glace brise les rochers, dit le troisième. Il vaudrait mieux être transformés en gros arbres.

— Les orages abattent les arbres, dit le quatrième frère. Changeons-nous en eau. Comme ça, personne ne pourra nous faire de mal.

— Tu oublies que le Soleil pourrait nous évaporer complètement, fit remarquer le cinquième frère. Devenons la nuit. La nuit est bonne et elle nous a toujours protégés.

— La nuit n'est pas aussi puissante que tu le crois, répondit le sixième frère. Chaque jour, le Soleil la chasse. »

Les frères continuèrent à réfléchir longtemps en silence, sans trouver de solution. Soudain, l'aîné eut une idée.

« Devenons des étoiles, proposa-t-il. Les étoiles sont amies de la nuit et cousines du Soleil. Et elles sont magnifiques ! »

Les frères étaient d'accord. Ils firent un immense feu qui éclaira toute la plaine et ils se mirent à danser autour. Ils tournaient de plus en plus vite en s'élevant dans les airs. Leurs corps étaient devenus légers comme des étincelles.

Quand ils s'arrêtèrent de danser, les frères avaient enfin rejoint le royaume des étoiles. Ils étaient parfaitement heureux. Ils ne souffraient plus du froid ni de la faim.

Depuis ce temps-là, tous les enfants lèvent les yeux vers le ciel quand ils sont malheureux. Ils se consolent en cherchant les sept frères réunis dans une constellation.

Révisons ensemble

● Je lis pour toutes sortes de raisons. Chaque fois que je lis un texte, je me demande pourquoi je le lis.

● Quand je lis un texte pour m'informer, je me pose des questions sur ce que j'aimerais apprendre sur le sujet. J'ai pris l'habitude de noter les choses nouvelles que j'apprends en lisant.

Souvent, je lis un texte pour effectuer une tâche : un exercice de français ou de mathématiques, une recette ou un bricolage. Je m'efforce de bien comprendre les consignes en repérant les mots les plus importants : ajoute, entoure, relie…

● J'adore lire des charades, des poèmes, des contes, des aventures, des bandes dessinées. Je m'amuse avec les sons, les mots, les images. Je me mets à la place du personnage principal pour ressentir ses émotions.

● Toi, sais-tu pourquoi tu lis ? Donne des exemples de textes que tu as lus pour t'informer, réaliser une tâche ou te divertir.

AUTOUR DE MOI

◆ Mon amie Ève et moi avons eu beaucoup de plaisir à écouter la musique du *Carnaval des animaux*. Toi, que ressens-tu quand tu écoutes de la bonne musique ?

◆ Lexibul a réussi à nous faire partager sa passion pour l'astronomie. Toi, as-tu des passions ? Comment pourrais-tu les faire partager à tes amis ?

Révisons ensemble

● Peux-tu dire ce que les pronoms soulignés remplacent dans ces phrases ?

Un jour, un âne, un chien, un chat et un coq se rencontrèrent sur la route de Brême. Leurs maîtres <u>les</u> trouvaient trop vieux et <u>ils</u> avaient décidé de s'en débarrasser.

● Quand on lit un texte, il est important de faire les bons liens entre les mots et de se demander de qui ou de quoi on parle.

● Quand on écrit un texte, on utilise des **pronoms** pour éviter des répétitions. Le plus souvent, on utilise des pronoms personnels : je, tu, il - elle, nous, vous, ils - elles. Ces pronoms accompagnent le verbe conjugué. Ils remplacent le groupe du nom.

● Pour apprendre l'orthographe de certains adjectifs, je pense à les mettre au féminin. Ainsi, je sais si je dois mettre une lettre muette au masculin. Observe.

gros(se) – gros   gran(de) – grand   ver(te) – vert

POUR T'AMUSER

◆ **Tes amis et toi, mimez chacun des couplets du poème** *Le carnaval des animaux.*

◆ **Amuse-toi après l'école à observer les étoiles. Peux-tu dessiner un petit coin de ciel ? Trouve des livres d'astronomie et réponds à certaines des questions que tu te poses sur l'Univers. Tu peux également faire des recherches sur Internet.**

Val-L'Avenir a une longue histoire. Lis ce texte pour la connaître.

Le carnaval de Val-L'Avenir

Il y a un grand rassemblement devant l'hôtel de ville de Val-L'Avenir. Madame Catelli, la mairesse, invite les citoyens à visiter une exposition pour célébrer le bicentenaire de la municipalité.

Il y a plus de 2000 ans

Chaque printemps, des Amérindiens prenaient la piste qui mène à la rivière Noire pour installer leur campement d'été. En faisant des fouilles, on a retrouvé plusieurs de leurs objets d'art.

Aujourd'hui

Lexibul est très fier de vivre à côté d'une ancienne piste amérindienne. Pour la fête, il a décidé de mettre un costume amérindien. Il enfile ses belles raquettes pour se rendre à l'hôtel de ville.

Il y a 225 ans

Des colons défrichaient la forêt près de la rivière Noire. Les hommes ont dû bûcher pendant plusieurs hivers. Au printemps, ils faisaient flotter le bois sur la rivière. Les billots de bois étaient ensuite transformés en planches dans une petite scierie.

Aujourd'hui

La scierie n'existe plus, mais la Ville a fait construire un camp de bûcherons d'antan. Lexibul le visite avec Monique et Ève. Il est impressionné par les couchettes et par la grosse marmite au centre de la pièce.

Pour déjeuner, on sert aux visiteurs un vrai repas de bûcherons : de la soupe aux pois, des pommes de terre, des fèves au lard et de la galette de sarrasin. Lexibul se régale !

Il y a 200 ans

Val-L'Avenir était un gros village. Il y avait de nombreuses fermes aux alentours. On retrouvait au centre du village une église, un magasin général et un gros moulin à farine.

Aujourd'hui

Le moulin à farine est devenu un bureau d'ingénierie. Des dizaines d'ingénieurs travaillent avec de puissants ordinateurs pour concevoir des routes, des ponts, des usines, des barrages.

Lexibul et Ève sont très impressionnés par tout ce qu'ils voient. Ève rêve de devenir ingénieure pour bâtir de longs tunnels sous les montagnes.

Il y a 125 ans

On construisait une ligne de chemin de fer pour relier Val-L'Avenir à la grande ville. Grâce au chemin de fer, les produits laitiers du village pouvaient être vendus dans les grands centres urbains. Il y avait de grandes fromageries dans toute la région.

Aujourd'hui

La vieille gare est devenue un musée du chemin de fer. Ève, Monique et Lexibul visitent les vieilles locomotives et les vieux wagons.

Ce soir

Les habitants ont revêtu des costumes d'époque. Ils chantent et ils dansent. Ils admirent le beau feu d'artifice qui resplendit dans la nuit. Vive Val-L'Avenir ! Vive le carnaval !

■ Prépare ton voyage dans le passé.

Ève nous donne une bonne idée de bricolage pour la Saint-Valentin. Lis ce texte pour le réaliser.

Souris en cœur

Matériel

- du carton de bricolage
- une feuille de papier
- des ciseaux
- des crayons-feutres
- un bout de laine d'environ 15 cm
- de la colle

Réalisation

1 Plie le carton en deux, dans le sens de la longueur.

2 Trace un demi-cœur sur le carton plié, comme sur le dessin.

3 Découpe le carton en suivant bien la ligne que tu as tracée.

4 Découpe un cœur en papier et écris ton message d'amour. Colle-le sur le cœur en carton.

5 Dans les retailles de carton, découpe deux oreilles de souris. Colle-les sur la pointe du cœur.

6 Dessine le museau, les yeux et les moustaches de ta souris.

7 Colle le bout de laine pour faire la queue de ta souris.

Lis ce texte pour trouver de nouvelles idées de passe-temps.

Une enquête

Le karaté

Grâce à mes cours de karaté, je me sens en pleine forme. C'est un bon exercice pour le corps, mais aussi pour l'esprit. J'apprends à contrôler mes mouvements et à me discipliner. Grâce au karaté, je me sens plus sûre de moi.

Les échecs

Les échecs, ça développe la concentration. Au début, j'avançais les pièces un peu au hasard. Mais à présent, je suis le roi de la stratégie. Quand je joue, n'essayez pas de détourner mon attention : elle est tout occupée à mon plan de jeu.

La lecture

Les livres me transportent dans toutes sortes de mondes. Certains récits ressemblent à ma vie, d'autres pas du tout. La lecture me permet de voyager dans ma tête. Et j'y trouve une foule d'idées pour écrire mes propres histoires.

La flûte

Depuis un an, j'ai beaucoup de plaisir à jouer de la flûte. Je fais partie de l'harmonie de mon école. Maintenant, je suis même capable de composer de petites pièces. Mes émotions, je les exprime dans ma musique.

La peinture

Pour moi, peindre, c'est une véritable séance de défoulement. J'aime porter ma chemise toute tachée de peinture. Mes petits chefs-d'œuvre montrent bien ma façon personnelle de voir les choses. Mon rêve, c'est de devenir un grand artiste !

La danse

Au cours de ballet jazz, nous créons des chorégraphies. Notre imagination travaille au son de la musique. J'adore apprendre de nouveaux mouvements. Une fois que je les maîtrise bien, je n'ai plus besoin d'y penser. C'est comme si mon corps bougeait tout seul !

■ Compare tes loisirs avec ceux de tes parents quand ils avaient ton âge.

Nous avons écrit à des amis montagnais pour nous informer sur leurs habitudes de vie. Lis avec nous la lettre qu'ils nous ont envoyée.

Une invitation

Kuei, Ève !
Kuei, Lexibul !

Vous vous posez beaucoup de questions sur les écoliers montagnais ? Vous voulez parler de nous dans votre livre ? La meilleure façon d'obtenir des réponses à vos questions, c'est de venir nous rendre visite. Qu'en dites-vous ?

Votre voyage sera long et peut-être un peu fatigant. Nous, les Montagnais, vivons dans neuf communautés assez éloignées les unes des autres. Pour venir à Matimekosh, par exemple, vous devrez parcourir environ 1500 km ! Mais le voyage en vaut la peine, les amis.

Pour vous aider, nous vous avons dessiné une carte. Vous devrez voyager en auto, mais aussi en train, en avion ou en hélicoptère, parce qu'à bien des endroits il n'y a pas de routes.

À bientôt !

Mali et Shushep,
vos amis montagnais

P.-S. : Il y a encore beaucoup de belle neige par ici; on pourra faire des balades à motoneige !

Lis notre album de voyage pour savoir quelles découvertes nous avons faites au Nitassinan.

Voyage au Nitassinan

Ève et Lexibul ont adoré leur voyage au Nitassinan. Ils ont appris une foule de choses étonnantes. Ils montrent leur album de voyage aux amis de la classe.

« Les écoliers montagnais sont comme nous, dit Ève.

— Mais il y a tout de même des différences », ajoute Lexibul.

Une classe

Voici une classe de deuxième année que nous avons visitée. Elle ressemble beaucoup à la nôtre, mais il y a des livres scolaires écrits en montagnais. Dans plusieurs communautés, les enfants parlent surtout le montagnais à la maison. C'est leur langue maternelle. Ils apprennent à parler et à écrire le français à l'école.

La langue montagnaise

Nous avons été impressionnés par la longueur de certains mots montagnais. Dans cette langue, on peut coller des mots ensemble pour créer d'autres mots. Nous avons appris à écrire le mot « école » en montagnais :

KATSHISHKUTAMATSHEUTSHUAP.

Il y a maintenant un dictionnaire montagnais-français. Nous allons apprendre beaucoup d'autres mots pour pouvoir écrire à nos nouveaux amis.

ARRÊT
NAKAI

La famille montagnaise

Nous avons passé la nuit chez notre amie montagnaise Mali. À la maison, il y avait son père et sa mère, ses deux petits frères et aussi deux cousines qui vivent avec eux. Mathieu, le grand frère de Mali, vit dans la maison d'en face, chez ses grands-parents. Chez les Montagnais, la famille, ce n'est pas seulement les parents et les enfants comme chez nous. La famille, c'est aussi les oncles, les tantes, les cousins et cousines et les grands-parents.

Les fêtes et les jeux

Avec nos amis montagnais, nous avons fait de la motoneige, du patin et de la pêche sous la glace.

En mars, à Betsiamites, à Mingan et à La Romaine, c'est le temps du carnaval. Nous avons assisté à des tournois de hockey et de volley-ball. Nous avons aussi joué au bingo et à d'autres jeux de société. Les Montagnais aiment jouer et rire ensemble.

La nourriture

Les Montagnais mangent tout ce que nous mangeons. Ils ont des épiceries et des dépanneurs semblables aux nôtres. Mais nous avons aussi mangé des aliments que nous ne connaissions pas :

— du porc-épic bouilli;

— du caribou;

— du liueikanat (de la viande séchée réduite en poudre);

— du castor braisé.

Regarde les beaux poissons que nous avons pêchés.

■ Prépare des questions pour faire un jeu-questionnaire.

Année montagnaise

La langue montagnaise est une langue très belle et très imagée. Voici la traduction en français des mots montagnais qui désignent les mois de l'année.

Janvier	TSHISHE-PISHIM^U	Le mois le plus grand
Février	EPISHIMINISHKUEU	Le mois qui vient entre deux saisons
Mars	UINASHKU-PISHIM^U	Le mois où la marmotte sort de son trou
Avril	SHISHIP-PISHIM^U	Le mois où les canards arrivent
Mai	NISSI-PISHIM^U	Le mois où l'outarde arrive
Juin	UAPIKUN-PISHIM^U	Le mois des fleurs
Juillet	SHETAN-PISHIM^U	Le mois de sainte Anne
Août	UPAU-PISHIM^U	Le mois où les oisillons volent
Septembre	USHKU-PISHIM^U	Le mois où les cervidés s'accouplent
Octobre	UASHTESSIU-PISHIM^U	Le mois où les feuilles jaunissent et tombent
Novembre	TAKUATSHI-PISHIM^U	Le mois de l'automne
Décembre	PISHIMUSS	Le petit mois

Que dirais-tu de trouver à ton tour des façons spéciales de nommer les mois de l'année ?

En lisant ce texte, tu apprendras à cuire un pain montagnais qui fera une excellente collation.

La bannique

Ingrédients

- 750 ml de farine tout usage
- 15 ml de levure chimique (poudre à pâte)
- 7 ml de sel
- 375 ml d'eau
- 200 ml de raisins secs

Préparation

1 Mélange les ingrédients secs : la farine, la levure chimique, le sel et les raisins.

2 Ajoute rapidement l'eau au mélange, en continuant de brasser.

3 Pétris la pâte avec tes mains en la saupoudrant légèrement de farine.

4 Quand la pâte est bien pétrie, forme une galette d'environ 4 cm d'épaisseur. Dépose-la sur une assiette à tarte légèrement beurrée.

5 Demande à un ou une adulte de cuire la pâte au four à 225 °C pendant 20 minutes.

6 Coupe la bannique en pointes pour la servir. Elle se mange chaude ou froide.

Est-ce que le loup et le raton laveur sont des amis ? Le loup prétend que oui, mais qu'en pense le raton ?

Le loup et le raton laveur

Un jour, un loup affamé rencontre un raton laveur.

« Veux-tu donner un peu de nourriture à ton ami ? demande le loup.

— Un ami, toi qui dévores mes frères ! répond le raton.

— Moi ? Je ne prendrais jamais une bouchée d'un raton laveur sans sa permission », dit le loup.

Avec un sourire moqueur, le raton laveur offre au loup une feuille d'érable dans laquelle il a mis trois grosses boulettes noires. Le loup avale tout d'une bouchée. Le raton éclate de rire et se met à chanter :

« J'ai fait manger ma crotte au loup, j'ai fait manger ma crotte au loup... »

Dégoûté et très en colère, le loup crache et court après le raton laveur pour le dévorer. Mais le raton a grimpé sur la plus haute branche d'un arbre.

Le loup se couche au pied de l'arbre. Il est sûr que le raton s'endormira sur sa branche et qu'il lui tombera tout cuit dans la gueule. De son côté, le raton attend que le loup s'endorme pour se sauver.

Le loup finit par s'endormir. Le raton laveur descend prudemment de l'arbre et il couvre les paupières du loup avec sa crotte.

Lorsque le loup se réveille, il ne voit plus rien.

« Encore une plaisanterie du raton ! »

Le loup demande aux arbres de le guider vers la rivière pour qu'il puisse se laver les yeux. Mais le raton rusé se fait passer pour un arbre et il dit au loup :

« Te voilà dans l'eau. Continue d'avancer. Je te dirai quand tu pourras t'arrêter. »

Le raton laveur laisse le loup avancer jusqu'au milieu de la rivière. Le pauvre loup essaie de revenir au bord, mais le courant est trop fort. Le loup est emporté à toute vitesse dans les rapides.

Le raton laveur est très content du tour qu'il a joué au loup.

« Ça lui apprendra à être moins hypocrite, se dit le raton. Il ne faut pas appeler *ami* un animal qu'on veut dévorer ! »

■ Trouve d'autres légendes.

Carcajou, le vilain

Les Montagnais adorent les histoires. Les aînés racontent aux plus jeunes des récits légendaires qui se sont transmis de génération en génération. Un des personnages les plus populaires de ces récits est Carcajou, un blaireau qui est tout le contraire d'un bon modèle ! En effet, Carcajou est un animal prétentieux, maladroit et gourmand qui prend plaisir à désobéir à toutes les règles. Mais il fait aussi toutes sortes d'espiègleries qui le rendent très comique.

Révisons ensemble

● En classe, Monique nous lit souvent des passages à haute voix pour nous donner des informations ou pour nous divertir. Moi aussi, je le fais quand je travaille en équipe ou avec toute la classe.

> Quand je lis à haute voix, je m'efforce de lire par groupe de mots pour que les autres comprennent bien ce que je dis. Je m'arrête au point pour indiquer que ma phrase est terminée et je fais une légère pause aux virgules.

● En visitant l'exposition sur les trains, j'ai mieux compris le sens des **marqueurs de relation** dont nous parlait Monique. Ce sont des mots qui n'ont pas beaucoup de sens en eux-mêmes. Ce sont des mots-outils qui relient des mots ou des phrases. Il est important de comprendre leur sens.

● Dans les phrases suivantes, observe les groupes de mots que les mots de relation unissent. Essaie de deviner leur sens.

Découpe un cœur en papier (et) *écris ton message d'amour.*

Ève rêve de devenir ingénieure (pour) *bâtir des tunnels.*

AUTOUR DE MOI

◆ Pour réaliser leurs travaux impressionnants, les ingénieurs travaillent en équipe. Ils s'encouragent et se donnent de précieux conseils. Toi, penses-tu à encourager tes camarades quand tu travailles en équipe ?

◆ Avec Ève, j'ai fait un voyage extraordinaire au Nitassinan. Toi, connais-tu des gens qui ont des habitudes de vie assez différentes des tiennes ? En quoi sont-elles différentes ?

Révisons ensemble

- Quand je ne comprends pas une phrase que je lis, je la relis. Si j'ai encore de la difficulté, je poursuis ma lecture, car la phrase qui suit m'aide souvent à mieux comprendre le sens de la phrase précédente. Pour m'assurer que j'ai bien compris, je relis le passage difficile, puis je poursuis ma lecture.

- Après avoir écrit un texte, il faut se relire pour vérifier si on a exprimé toutes ses idées et si on les a mises en ordre. Je fais souvent lire à mes amis les textes que j'écris. Quand ils ne comprennent pas mes idées, je m'aperçois que mon texte n'était pas clair. Je révise mon texte en tenant compte de leurs commentaires.

- Une fois que j'ai révisé mon texte, je vérifie l'orthographe des mots que j'ai écrits.

  - J'essaie de les retrouver dans ma mémoire. Je ne vérifie pas l'orthographe des mots que je connais bien.

  - Je vérifie si j'ai bien copié les mots nouveaux.

  - Je vérifie l'orthographe des mots que j'ai déjà appris dans ma liste de vocabulaire. Je consulte le dictionnaire pour trouver les mots qui ne sont pas dans ma liste.

  - Je place une étoile au-dessus des mots que je n'ai pas trouvés. Lorsque Monique révise mon texte, elle me les écrit correctement.

POUR T'AMUSER

- **Dessine un cœur à l'ordinateur. Écris un poème autour du cœur pour faire un beau calligramme. Offre-le à une personne que tu aimes pour la Saint-Valentin.**

- **Écris à des enfants qui vivent dans d'autres pays. Utilise le courrier électronique pour entrer en contact avec eux. Continue à correspondre avec ces amis d'ailleurs.**

Lexibul aime tellement l'Univers qu'il a inventé une recette de gâteau lunaire. Veux-tu essayer sa recette ?

Un gâteau lunaire

Ingrédients

- 375 ml de farine
- 125 ml de sucre
- 125 ml de cassonade
- 60 ml de cacao
- 5 ml de sel
- 75 ml de beurre fondu
- 5 ml de vanille
- 5 ml de bicarbonate de soude
- 15 ml de vinaigre blanc
- 250 ml de lait
- 250 ml de guimauves miniatures

Préparation

1 Mets la farine, le sucre, la cassonade, le sel et le cacao dans un moule de 22 cm sur 22 cm. Brasse doucement cette poussière lunaire.

2 Avec une cuillère, creuse jusqu'au fond du moule un gros cratère, un moyen et un petit.

3 Dépose la vanille dans le petit cratère, le bicarbonate de soude dans le moyen et le beurre fondu dans le grand.

4 Verse le vinaigre dans le cratère moyen pour provoquer une éruption du volcan lunaire.

5 Quand l'éruption s'est calmée, verse le lait partout sur la poussière lunaire pour faire la marée blanche.

6 Brasse la poussière jusqu'à ce qu'elle devienne de la boue lunaire.

7 Mets les guimauves sur la boue lunaire.

8 Mets la Lune au four à 180 °C pendant 35 minutes.

Dans ce texte, des élèves de différentes origines te présentent leurs plats préférés.
Lis-le pour connaître des plats exotiques.

Spécialités du chef

Bonjour ! Je m'appelle Sheng Ki. Je suis née en Chine. À la maison, je mange souvent des fruits, comme des litchis. Je mange aussi beaucoup de légumes : des fèves germées, des champignons sautés et des légumes verts. Je ne mange jamais beaucoup de viande.

Les fins de semaine, avec mes parents, j'aime aller dans les restaurants et les épiceries du quartier chinois.

Bonjour ! Je m'appelle Adjoua. Je suis née au Sénégal. À la maison, je mange souvent du poisson. Mon plat préféré est le yassa. C'est du poulet mariné dans du jus de citron qu'on fait braiser et qu'on sert avec des légumes. J'aime aussi le foutou. C'est une pâte de bananes, d'ignames ou de farine de manioc.

Le manioc est un petit arbre qui pousse en Afrique. Avec sa racine, on fait une bonne farine.

Bonjour ! Je m'appelle Jawal. Je suis né en Algérie. À la maison, je mange surtout de l'agneau. Mon plat préféré, c'est le couscous. C'est de la semoule de blé servie avec un mélange de viande et de légumes cuits dans une sauce piquante, la harissa.

Bonjour ! Je m'appelle Marcella. Je suis née au Mexique. Ce matin, j'ai mangé des bananes frites avec des tortillas. Des tortillas, ce sont des crêpes faites avec de la farine de maïs.

Moi, j'adore le guacamole. C'est une purée faite avec des avocats, des tomates, des oignons, de l'huile et du jus de citron.

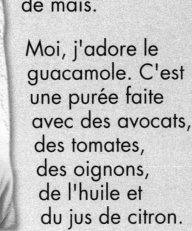

Les rots

Quand tu manges trop vite, tu avales beaucoup d'air avec tes aliments. Ton estomac se débarrasse de ces petites poches d'air en les rejetant par ta bouche. Ça fait un curieux petit son de trompette, qu'on appelle un rot ou un renvoi.

Dans certains pays, les invités qui ne rotent pas après un bon repas sont considérés comme très impolis. Mais ici, c'est plutôt le contraire !

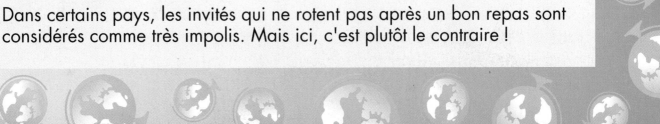

Connais-tu le lien entre le grand explorateur Marco Polo et les spaghettis ? Tu le découvriras en lisant ce texte.

Les pâtes alimentaires

Il y a très longtemps, le grand explorateur italien Marco Polo s'est rendu en Chine et il a rapporté de ce pays la recette pour fabriquer des pâtes. Les pâtes sont faites avec du blé dur et de l'eau.

Il y a de nombreuses sortes de pâtes. Il y a des pâtes longues qui ressemblent à des cheveux : les vermicelles, les spaghettis et les nouilles. Il y a des pâtes plates comme des rubans : les lasagnes, les linguinis et les fettucinis. Il y a des pâtes qu'on farcit avec de la viande, des patates ou des œufs : les raviolis, les gnocchis et les cannellonis.

D'autres pâtes servent à préparer des soupes et elles prennent des formes amusantes : des coquilles, des anneaux, des boucles, des coudes, des étoiles ou des lettres de l'alphabet. Avec les pâtes alphabet, on peut même écrire des mots et les manger.

■ Consulte des livres ou des revues pour trouver des recettes de différents pays.

Marco Polo

Marco Polo est un grand explorateur italien. Il est le premier Européen à se rendre en Chine, en 1275. Là-bas, il devient ami avec l'empereur de Chine. Au service de l'empereur pendant 17 ans, il visite toutes les régions de cet immense pays. À son retour en Italie, il raconte toutes les choses extraordinaires qu'il a vues dans le *Livre des merveilles du monde*. Ces choses sont tellement étonnantes que les gens pensent qu'il dit des mensonges.

J'ai composé un rap sur le thème de l'alimentation.
Veux-tu le lire, le chanter et le danser avec moi ?

Le rap de Prudence

Notre corps est une machine
Qui transforme les protéines
Du lait, des œufs, du poisson,
C'est nourrissant et c'est bon !

Une petite baisse d'énergie ?
Ce sont des glucides qu'il te faut.
Du pain, des pâtes ou du riz,
Prends-en un peu, mais pas trop !

Tu veux avoir une bonne mine ?
Il te faut des vitamines.
Tu veux avoir de bons os ?
Il te faut des minéraux.

Haricots, fèves de soya,
Fromage, maïs, avocats,
Ça fait de meilleurs repas
Que de simples hambourgeois.

■ Choisis des recettes santé pour ta dégustation.

Dans ce texte, Ève te propose des pizzas faciles à préparer et très nourrissantes.

Des mini-pizzas

Tu peux facilement régaler ta famille ou tes amis en préparant des pizzas bonnes pour la santé.

Ingrédients

- 6 pains pita
- 1 poivron vert
- 1 oignon
- 16 champignons
- 250 ml de fromage râpé
- 125 ml de sauce tomate

Préparation

1 Chauffe le four à 200 °C.

2 Lave les légumes. Coupe-les en tranches minces.

3 Étends de la sauce tomate sur chaque pita.

4 Mets sur chaque pita des tranches de poivron vert, d'oignon et de champignon.

5 Ajoute du fromage râpé.

6 Mets les pizzas sur une tôle à biscuits.

7 Cuis-les au four de 3 à 5 minutes.

Ce matin, Monique a apporté en classe une eau qui a très bon goût. Sais-tu ce que c'est ?

Une eau sucrée

Ce matin, Monique a fait goûter à ses élèves une eau spéciale. « C'est bon. C'est sucré, dit Lexibul. Qu'est-ce que c'est ?

— C'est sûrement de l'eau d'érable », dit Ève.

Avec des amis, elle décide de faire une recherche sur le sirop d'érable.

Une longue histoire

Les Amérindiens ont appris aux premiers colons du pays que les érables à sucre produisaient une sève très sucrée au printemps.

Les colons faisaient un petit trou dans les érables avec une hache. L'eau coulait goutte à goutte dans un récipient de sapin placé au pied de l'arbre. Chaque jour, les colons recueillaient les récipients remplis d'eau d'érable. Ils faisaient ensuite chauffer l'eau dans de grosses marmites suspendues à des perches.

L'eau s'évaporait et devenait épaisse comme de la pâte. On versait cette pâte dans des moules pour la faire refroidir. L'eau s'était transformée en sucre d'érable. Les colons l'appelaient « sucre du pays ». C'était le seul sucre utilisé dans les campagnes.

De lentes transformations

Vers 1830, on remplaça les récipients de sapin par des chaudières en bois. Vers 1870, des bouilloires de tôle remplacèrent les marmites de métal. Les premiers évaporateurs apparurent vers 1875.

Les premiers colons fabriquaient seulement du sucre d'érable. Mais vers 1900, on se mit à produire autant de sirop d'érable que de sucre d'érable.

La fabrication du sirop aujourd'hui

Au printemps, les acériculteurs percent des trous de 5 centimètres dans les érables. Ensuite, ils mettent des chalumeaux dans les trous.

La sève sucrée tombe goutte à goutte dans des tuyaux fixés aux chalumeaux. L'eau d'érable qui coule dans les tuyaux tombe dans un gros réservoir : le réservoir d'emmagasinage.

L'eau du réservoir est ensuite versée dans un évaporateur. C'est une espèce de gros fourneau dans lequel on fait bouillir l'eau d'érable.

En bouillant, l'eau d'érable s'évapore. Peu à peu, le liquide devient plus épais et plus sucré. L'eau d'érable se transforme en sirop d'érable. Il faut 40 litres d'eau pour faire 1 litre de sirop d'érable.

Si on continue à faire bouillir le sirop, on obtient de la tire d'érable, puis du sucre d'érable.

Un beau travail

Ève et ses amis ont présenté en classe le résultat de leur recherche. Monique est très contente de leur travail. Elle leur propose de faire une belle sortie : aller manger dans une cabane à sucre de la région.

■ Dans ton almanach, indique les jours où la sève peut couler.

Qu'est-ce qui fait couler la sève ?

Pour que la sève d'érable coule bien, il faut des nuits de gel suivies de journées assez chaudes et ensoleillées. On retrouve ces conditions entre le début du mois de mars et le milieu du mois d'avril. Si la température est trop froide ou trop chaude à cette époque de l'année, on récolte moins de sève. C'est une mauvaise année pour les acériculteurs.

Sais-tu qui pond les plus gros œufs du monde ? Et les plus petits ? En lisant ce texte, tu apprendras une foule de choses curieuses sur les œufs.

Des œufs de toutes sortes

La poulette Coquette croit qu'elle est la seule maman qui pond des œufs. Mais non, Coquette, ce n'est pas vrai…

Les mamans autruches aussi pondent des œufs, les plus gros du monde. Un œuf d'autruche peut mesurer 20 centimètres de long et peser jusqu'à 1,8 kilogramme.

Les œufs de colibris sont les œufs d'oiseaux les plus petits.

Les mamans crocodiles pondent des œufs. Elles les cachent dans des trous au bord de l'eau et elles les recouvrent de terre pour les protéger. Si maman crocodile doit changer ses œufs de place, elle les transporte délicatement dans ses puissantes mâchoires sans les briser.

Les poissons pondent beaucoup de petits œufs qui flottent dans l'eau ou qui se déposent au fond de l'eau. Une morue peut pondre six ou sept millions d'œufs !

Les insectes pondent une grande quantité d'œufs. La reine des abeilles en pond jusqu'à 1500 par jour. La termite femelle peut en pondre encore plus, jusqu'à 30 000 œufs en une seule journée. Les œufs d'insectes contiennent beaucoup de jaune.

Ce crapaud n'est pas une maman. C'est un bon papa, le crapaud accoucheur. Quand la maman a pondu les œufs, le crapaud accoucheur les colle sur ses pattes arrière. Il s'occupe tout seul des œufs. Après trois semaines, les petits têtards sortent des œufs.

La poulette Coquette est un peu choquée d'apprendre que beaucoup d'animaux pondent aussi des œufs. Mais elle se console en se disant : « Je suis la meilleure pour pondre des œufs à omelettes ! »

■ Quelles informations du texte as-tu trouvées les plus étonnantes ? Explique.

Lis ce beau poème qui a été écrit il y a plus de 600 ans.

Le printemps

Le Temps a laissé son manteau
De vent, de froidure et de pluie,
Et s'est vêtu de broderie,
De soleil luisant, clair et beau.

Il n'y a ni bête ni oiseau
Qu'en son jargon ne chante ou crie :
« Le Temps a laissé son manteau
De vent, de froidure et de pluie. »

Rivière, fontaine et ruisseau
Portent en livrée jolie
Gouttes d'argent d'orfèvrerie;
Chacun s'habille de nouveau :
Le Temps a laissé son manteau.

Charles d'ORLÉANS

Fais une chronique des signes annonciateurs
du printemps.

Voici l'un des plus beaux contes d'Andersen. On l'a adapté pour toi.
Lis-le pour apprendre ce qui arrive au vilain petit canard.

Le vilain petit canard

Par une belle journée ensoleillée, une cane vit ses œufs éclore l'un après l'autre. De jolis canetons en sortaient et leur maman était fière. Bientôt, il ne resta plus qu'un œuf à couver.

« Ce gros œuf me donne beaucoup de peine, soupira-t-elle.

— C'est sûrement un œuf de dinde ! rétorqua une vieille cane. Cela m'est déjà arrivé. Laisse-le ! Va t'occuper de tes mignons petits ! »

La cane décida d'attendre et l'œuf finit par éclore. Mais comme le bébé était grand et laid ! Tandis que ses frères et sœurs étaient d'un jaune lumineux, lui était tout gris.

« Tant pis ! se dit la cane, je vais m'en occuper comme de mes autres petits. »

D'ailleurs, son enfant nageait avec beaucoup d'élégance. Il ne pouvait donc pas être un dindon.

Les canards des alentours se moquaient souvent de lui.
Les plus méchants le battaient. Sa mère le défendait toujours,
mais le petit, désespéré, décida un jour de s'enfuir.

Bientôt, il se trouva parmi les canards sauvages.

« Tu es bien laid, lui dirent-ils, mais reste avec nous si tu
le veux. »

Au bout de deux jours, les chasseurs tuèrent deux canards
sauvages. Les autres prirent la fuite. Le pauvre petit canard
se cacha dans un buisson. Il était tout seul à présent.

Un jour d'automne, il vit dans le ciel de magnifiques oiseaux blancs, avec un long cou gracieux et de larges ailes immaculées. Ces oiseaux inconnus migraient vers un pays chaud. Le vilain petit canard poussa alors un cri bizarre qui l'étonna lui-même. Jamais il n'avait ressenti une telle attirance pour le ciel.

Puis le mauvais temps arriva. L'hiver fut épouvantable. Pourtant, un jour, le soleil commença à réchauffer et la neige fondit. Enfin, c'était le printemps ! Dans le ciel, on voyait des nuées d'oiseaux qui rentraient au pays. Les grands oiseaux blancs réapparurent à leur tour. Le cœur du petit canard bondit dans sa poitrine.

Plein de peur et de gêne, il s'approcha des beaux oiseaux blancs. À sa grande surprise, tous l'entourèrent. De leurs becs, ils caressèrent le sien. Comment cela était-il possible ?

Le petit canard regarda son reflet dans l'eau. Il ressemblait à ces beaux oiseaux !
En grandissant, il avait pris leur apparence gracieuse.

« Oh ! un nouveau cygne ! s'écrièrent des enfants. Comme il est beau ! »

Ainsi, le vilain petit canard était en fait un jeune cygne dont les parents avaient égaré l'œuf. Ayant retrouvé les siens, ses misères étaient terminées. Il était enfin comblé de bonheur.

Andersen

Hans Christian Andersen est né au Danemark en 1805. Il a écrit 164 contes pleins de poésie et de leçons de sagesse. Pour créer ses histoires, Andersen s'est inspiré de récits populaires d'autrefois, mais aussi d'événements de sa propre vie. Par exemple, quand il était jeune, Andersen a subi les méchancetés d'un mauvais professeur. Cela lui a peut-être inspiré l'histoire du vilain petit canard. Andersen aimait tellement les contes qu'il a écrit l'histoire de sa vie sous la forme de conte.

Révisons ensemble

● Après chaque paragraphe, il est important de se poser des questions, de reformuler les phrases dans ses propres mots et de réagir à ce qu'on vient de lire.

> *Bonjour ! Je m'appelle Jawal. Je suis né en Algérie. À la maison, je mange surtout de l'agneau. Mon plat préféré, c'est le couscous. C'est de la semoule de blé servie avec un mélange de viande et de légumes cuits dans une sauce piquante, la harissa.*

● Je me pose des questions.

> Qu'est-ce que l'Algérie ?
> Je pense que c'est un pays.

● Je redis dans mes mots l'information importante.

> Jawal mange de l'agneau et il adore le couscous.

● Je réagis à ce que j'ai lu.

> Moi aussi, j'aime les plats épicés. J'aimerais sans doute le couscous.

> La neige a fondu dans les champs et il a plu beaucoup ces derniers temps. Chez moi, la rivière a débordé et il y a eu une inondation au sous-sol. Est-ce que la crue des eaux a provoqué des dégâts dans ton milieu ?

AUTOUR DE MOI

◆ Mars, c'est le mois de la nutrition. On profite de l'occasion pour se rappeler qu'il faut bien s'alimenter. Nomme les quatre groupes d'aliments. Nomme ensuite les aliments que tu préfères dans chaque groupe.

◆ J'ai aimé faire la recherche sur l'histoire du sirop d'érable. Toi, as-tu déjà été à la cabane à sucre ? Raconte ton expérience.

Révisons ensemble

● Quand je lis un texte, je porte toujours une attention particulière aux indices de temps, car ils sont importants pour comprendre le déroulement d'une histoire.

> *Bientôt, il ne resta plus qu'un œuf à couver.*
>
> *Au bout de deux jours, les chasseurs tuèrent deux canards sauvages.*
>
> *Puis le mauvais temps arriva. L'hiver fut épouvantable.*
>
> *Le vilain petit canard était enfin comblé de bonheur.*

● Essaie de trouver les petits mots suivants dans des histoires et demande-toi ce qu'ils signifient.

alors   enfin   ensuite   et   puis   finalement

● Tu sais qu'il y a presque toujours un verbe conjugué dans une phrase. Le verbe conjugué, c'est comme le moteur de la phrase. Les autres groupes tournent autour de lui.

● La phrase se compose de deux groupes obligatoires : un groupe du nom sujet et un groupe du verbe.

GNs   GV

*Les canards **des alentours**   se moquaient **de lui**.*

● Dans mes textes, lorsque je vérifie l'accord des mots dans le groupe du nom, j'utilise le vert pour marquer le pluriel et le féminin.

> *Le Amérindien aimaient l'eau d'érable.*
>
> *Je préfère la viande épicé .*

POUR T'AMUSER

◆ **Avec des amis, fais un livre de recettes sans cuisson. Pour trouver tes recettes, interroge tes parents ou tes grands-parents, consulte des livres de cuisine ou fais des recherches sur Internet.**

◆ **Tu as aimé *Le vilain petit canard*? À partir du conte, fais une pièce de théâtre avec des amis.**

Aujourd'hui, Lexibul rêve d'un autre métier qu'il aimerait faire plus tard. Sais-tu pourquoi il a fait ce choix ?

Lexibul fermier

Ce matin, Lexibul a décidé de devenir fermier.

« Mais quelle sorte de fermier ? lui a demandé Ève. Veux-tu cultiver des fruits, des céréales ou des fleurs ? Veux-tu produire des œufs ? Veux-tu avoir une ferme laitière ? Veux-tu faire l'élevage de veaux, de porcs, de poulets ou de chevaux ? Veux-tu faire du miel ou du sirop ? »

À vrai dire, Lexibul ne le savait pas trop. Agriculteur, apiculteur, aviculteur, pomiculteur, viticulteur, sylviculteur... Tous ces mots compliqués commençaient à lui tourner la tête.

« Peu importe, après tout, se dit Lexibul. Pourvu que j'aie un beau tracteur ! »

Lis ce poème amusant écrit par un auteur-compositeur de chez nous.

La vache

J'ai le cœur en marmelade
Pour une brune aux grands yeux doux
Qui aime le foin et la salade
(Elle aime aussi me jouer des tours)
Quel drôle d'amour me direz-vous

Le jour de son anniversaire
J'invite ma vache à déjeuner
Pendant que j'ai le dos tourné
Elle se déguise en courant d'air
Et les oreilles en papillotes
Glisse son coco par la fenêtre
Et croque le bouquet de violettes

Je n'ai pas pu la chicaner
Elle avait l'air tellement guerlotte

Bientôt elle ira à l'école
Pour apprendre à faire du lait
En attendant elle fait la folle
Comme on peut voir sur le portrait

Michel RIVARD

(© Les Éditions Sauvages)

■ Dis ce que tu as trouvé le plus amusant dans ce poème de Michel Rivard.

Pour aider Lexibul à choisir son métier, je lui présente diverses entreprises agricoles. Veux-tu les connaître, toi aussi ?

Des entreprises agricoles

La pomiculture

La pomiculture, c'est la culture des pommiers. Dans les vergers, les pomiculteurs s'assurent que les arbres sont en santé en éliminant les insectes nuisibles.

En hiver, ils taillent les pommiers. En automne, des cueilleurs détachent les pommes à la main, délicatement. Ils les placent ensuite dans des cageots. Les fruits abîmés ou trop vieux servent à faire du jus et des compotes.

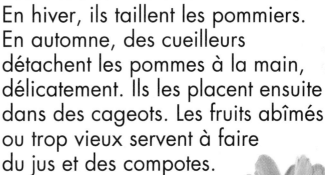

La production des œufs

La plupart des œufs sont produits dans d'immenses élevages industriels de plus de 100 000 oiseaux. Les poules, qui vivent dans de petites cages, pondent généralement un œuf par jour. L'œuf pondu roule délicatement sur le fond de la cage un peu inclinée, puis sur un tapis roulant. Le tapis roulant aboutit à un grand bâtiment. Là, des machines classent les œufs par taille, puis les rangent dans des alvéoles de carton.

La production laitière

Chaque année, une vache laitière donne naissance à un veau. Ensuite, elle produit du lait pendant les dix mois suivants à condition qu'on la traie deux ou trois fois chaque jour. On nettoie d'abord le pis avec soin, puis on installe la trayeuse. Cette machine exerce une délicate

pression pour pomper le lait des trayons. On transporte le lait dans des camions-citernes réfrigérés jusqu'à une usine, la laiterie. Là, des machines automatiques remplissent

les sacs ou les cartons. En moyenne, une vache produit de 10 à 15 litres de lait par jour.

Avec le lait, on fabrique plusieurs produits : de la crème, du fromage, du beurre, du yogourt, de la crème glacée, du lait en poudre, etc.

■ Trouve de bonnes idées pour ton exposition agricole.

Ce matin, les animaux de la ferme se disputent pour savoir qui est le plus important. À ton avis, qu'est-ce que le fermier leur répondra ?

Le plus important...

Ce matin, le coq a crié la tête haute : « Je suis l'animal le plus important de la ferme. Si je n'étais pas là, le fermier ne pourrait pas se réveiller le matin ! »

« Le fermier pourrait s'acheter un réveille-matin, dit la poule. Moi, si je ne pondais pas mes œufs, le fermier ne pourrait pas déjeuner. »

« Le fermier pourrait s'acheter un réveille-matin et manger des rôties, dit la vache en colère. Moi, si je ne donnais pas mon bon lait, le fermier n'aurait rien à boire. »

« Le fermier pourrait s'acheter un réveille-matin, manger des rôties et boire du jus de raisin, dit le cochon en colère. Moi, si je n'étais pas là, le fermier n'aurait ni bon boudin ni bon jambon. »

« Le fermier pourrait s'acheter un réveille-matin, manger des rôties, boire du jus de raisin et manger du poisson, dit le cheval en colère. Moi, si je n'étais pas là, le fermier ne pourrait pas se rendre en ville. C'est bien trop loin ! »

« Je pourrais m'acheter un réveille-matin, manger des rôties le matin, boire du jus de raisin, manger du poisson plutôt que du boudin et me rendre en ville en train, dit le fermier qui avait tout entendu de loin.

« Mais si je n'avais pas de coq, pas de poule, pas de vache, pas de cochon, pas de cheval, je ne serais pas un fermier ! Tous mes animaux sont importants, du premier au dernier. »

■ Explique pourquoi tous les animaux de la ferme sont importants.

Selon toi, qu'est-ce que le pays des Snifs ? Lis ce conte pour le découvrir.

Au pays des Snifs

Alicia pénètre pour la première fois dans cette drôle de forêt qu'elle a l'impression de bien connaître. Elle ne voit ni ses jambes ni ses pieds, mais elle sait qu'elle marche. Elle atteint rapidement une clairière et elle s'assoit sur un vieux tronc creux.

À travers des branches bleutées, elle aperçoit des Snifs. Certains viennent se poser sur son épaule. Ils sont si petits qu'Alicia peut en tenir trois dans le creux de sa main. Elle reconnaît leur corps arrondi couvert de plumes roses et leurs petits pieds bleus. De leurs grands yeux s'échappent de petites larmes qui se transforment en perles dès qu'elles touchent le sol.

Alicia recueille les précieuses perles dans son petit coffret de verre. Chaque perle lui permettra de réaliser un souhait.

« Toutes ces larmes m'ont drôlement creusé l'appétit, lance joyeusement un Snif qui s'est accroché à son oreille comme une jolie boucle. Allons cueillir des fraises-bananes ! »

Le Snif s'agrippe solidement aux cheveux d'Alicia pour ne pas tomber. Un vent léger et parfumé répand dans la forêt une odeur de pain grillé... Alicia sort une perle de son coffret et...

*   *   *

Alicia se réveille avant d'avoir pu réaliser un souhait. Elle pousse un gros soupir et enfile ses pantoufles mauves. Dans la cuisine, son père est en train de faire manger le bébé.

« Bonjour, chérie ! Tu as bien dormi ?

— Je ne sais pas », répond Alicia.

Alicia regarde par la fenêtre.
Il pleut très fort. C'est samedi
et elle ne pourra même pas
aller jouer dehors. Elle remonte
dans sa chambre. Elle s'ennuie.
Même ses beaux livres de
contes ne l'amusent plus.
En vérité, Alicia n'arrête pas
de penser aux Snifs de la forêt
enchantée.

Tout à coup, un grand sourire éclaire son visage.
Elle vient d'avoir une idée formidable ! Ce merveilleux pays
des Snifs dont elle a rêvé, rien ne l'empêche de le recréer !

Alicia prend un cahier et un crayon et commence à écrire :

« Alicia pénétra pour la première fois dans cette drôle de forêt
qu'elle avait l'impression de bien connaître... »

■ Continue l'histoire d'Alicia.

Lis ce texte pour mieux connaître nos grands auteurs de littérature jeunesse.

Histoires d'auteurs

Gilles Tibo

Gilles Tibo écrit des livres pour enfants et il les illustre. Les albums *Simon* sont réputés dans le monde entier. L'album *Simon et les flocons de neige* a gagné un prix prestigieux à un concours international d'illustrations au Japon. Simon, le personnage créé par Tibo, a vécu beaucoup d'aventures : *Simon et la ville de carton*, *Simon et le vent d'automne* et bien d'autres encore.

Pour créer de nouvelles histoires, Gilles Tibo travaille tous les jours de la semaine de 8 h 30 à 17 h. Écrire des livres pour les jeunes, ce n'est pas un jeu d'enfant !

Christiane Duchesne

Christiane Duchesne utilise plusieurs moyens de communication pour raconter des histoires aux enfants.

En plus d'écrire des livres et de les illustrer, elle signe des scénarios pour la radio et la télévision. Un texte qu'elle a écrit pour la radio, *Mathilde ou les ballots de foin*, a remporté le premier prix à un concours de Radio-Canada.

L'auteure Christiane Duchesne aime la musique des mots. C'est pourquoi elle lit toujours à voix haute les textes qu'elle écrit.

Ginette Anfousse

Ginette Anfousse écrit et illustre des histoires pour les enfants depuis très longtemps. Elle a gagné de nombreux prix et ses histoires sont traduites dans plusieurs langues.

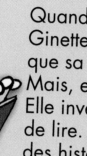

Quand elle était petite, Ginette écoutait les histoires que sa grand-mère lui lisait. Mais, en fait, sa grand-mère ne savait pas lire. Elle inventait des histoires en faisant semblant de lire. Aujourd'hui, Ginette Anfousse écrit des histoires avec sa fille Marisol. Ensemble, elles ont écrit et illustré le roman *Rosalie à la belle étoile*.

Cécile Gagnon

Cécile Gagnon a écrit une soixantaine d'albums pour les enfants et elle aime particulièrement les contes. Elle pense que l'imagination est un outil très précieux. C'est pourquoi elle encourage les jeunes qu'elle rencontre à utiliser leur imagination pour devenir plus tard des adultes inventifs.

Cette auteure a gagné de nombreux prix littéraires. Avec son livre *Alfred dans le métro*, elle a remporté le prix de l'Association canadienne d'éducation de langue française.

Claire St-Onge

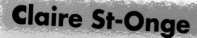

Claire St-Onge croit au vieux dicton qui dit : « Cent fois sur le métier, remettez votre ouvrage. » Son premier roman jeunesse, *Amours, malices et… orthographe*, qu'elle a commencé à écrire en 1986, n'a été publié qu'en 1991. Pourquoi ? Parce qu'elle l'a récrit cinq fois entre-temps.

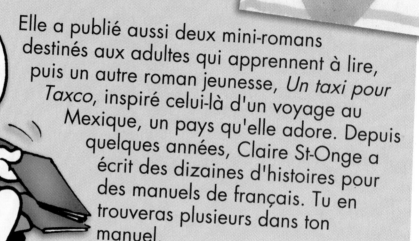

Elle a publié aussi deux mini-romans destinés aux adultes qui apprennent à lire, puis un autre roman jeunesse, *Un taxi pour Taxco*, inspiré celui-là d'un voyage au Mexique, un pays qu'elle adore. Depuis quelques années, Claire St-Onge a écrit des dizaines d'histoires pour des manuels de français. Tu en trouveras plusieurs dans ton manuel.

■ Construis un casse-tête d'auteurs.

Bertrand Gauthier

Bertrand Gauthier écrit des histoires que les enfants aiment beaucoup. C'est l'auteur, entre autres livres, de la série *Zunik*, un petit garçon très sympathique. Bertrand aime bien parler avec ses jeunes lecteurs lors des salons du livre. Après ces rencontres, il a la tête pleine d'idées. Alors il se met à l'ordinateur. Dans le plus grand silence, Bertrand écrit une première version, puis une autre, et autant qu'il en faut pour que l'écrivain soit satisfait de son œuvre.

Lis ce beau poème qui parle de la puissance des mots.

Tu dis

Tu dis sable
et déjà
la mer est à tes pieds

Tu dis forêt
et déjà
les arbres te tendent leurs bras

Tu dis colline
et déjà
le sentier court avec toi vers le sommet

Tu dis nuages
et déjà
un cumulus t'offre la promesse du voyage

Tu dis poème
et déjà
les mots volent et dansent
comme étincelles dans ta cheminée

Joseph-Paul SCHNEIDER

(Tiré des *Plus beaux poèmes pour les enfants*,
© Le cherche midi éditeur)

■ Participe maintenant à la fête des livres.

Révisons ensemble

Si je lis trop lentement, je ne suis pas capable de lire par groupe de mots et je ne retiens rien. Mais si je lis trop rapidement, il m'arrive de ne pas comprendre le texte, car je ne prends pas le temps de me questionner et de reformuler dans mes mots les idées que je lis. J'ai appris à ajuster ma vitesse de lecture.

Lorsque je ne comprends pas ce que je lis, je cherche à savoir pourquoi et j'essaie de trouver des stratégies pour résoudre mon problème. As-tu développé de bonnes stratégies, toi aussi ? Échange avec tes camarades pour connaître leurs stratégies de lecture.

AUTOUR DE MOI

◆ **Nomme les usines ou les entreprises de ton milieu et décris-les.**

◆ **As-tu déjà rencontré des auteurs ? As-tu déjà été dans une librairie ? As-tu participé à l'heure du conte en classe ou à la bibliothèque ? Trouve de bonnes idées pour la grande fête du livre du 23 avril.**

Révisons ensemble

● J'aime travailler en équipe, mais j'ai parfois de la difficulté à écouter les autres, parce que j'ai trop hâte de parler ! Selon Monique, j'ai au moins la qualité de bien accepter les critiques de mes amis. Je vais m'efforcer d'améliorer mes points faibles. Toi, quels sont tes points forts et tes points faibles lorsque tu travailles en équipe ?

● Lis les phrases suivantes. Explique pourquoi ce sont des phrases négatives.

Si je n'étais pas là, le fermier ne pourrait pas se réveiller le matin !

Moi, si je ne pondais pas mes œufs, le fermier ne pourrait pas déjeuner.

● Il est important de placer le mot **ne** devant le verbe dans une phrase négative.

*Si je **ne** donnais pas mon lait, le fermier **n'**aurait rien à boire.*

*Si je **n'**avais pas de coq, pas de poule, pas de vache, pas de cochon, je **ne** serais pas un fermier !*

*Je **n'**ai pas pu chicaner la vache.*

● Écris trois phrases négatives en employant **ne** ou **n'**.

POUR T'AMUSER

◆ Avec des amis, forme un cercle de lecture. Lisez le même texte ou le même livre et échangez à son sujet.

◆ Comme Alicia, crée un pays imaginaire et décris-le. Tu peux écrire et illustrer ton histoire à l'ordinateur.

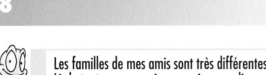

Les familles de mes amis sont très différentes les unes des autres. Lis le texte pour savoir ce que je veux dire par là.

Les familles de Lexibul

Dans la famille d'Ève, tout le monde soupe ensemble à la même heure. Il y a beaucoup de monde à table, parce que les ouvriers de la ferme mangent aussi. Ils sont considérés comme des membres de la famille.

Dans la famille de Louis, il y a toujours des plats préparés au réfrigérateur. Quand quelqu'un a faim, il en fait réchauffer un. Personne ne mange en même temps ni au même endroit.

Dans la famille de Jim, on mange en regardant la télévision. Et elle reste allumée pendant toute la soirée, même si personne ne la regarde. Dans la famille d'Ève, il est interdit de regarder la télévision en mangeant.

Chez Paquita, les enfants se couchent tôt, vers 20 heures. La plupart du temps, ils mettent leur pyjama tout de suite après le souper. Les parents de Paquita mangent après que les enfants sont couchés. Chez Jim, c'est très différent. C'est presque toujours lui qui décide de l'heure du coucher.

Chez Stéphanie, la porte de la maison est presque toujours ouverte. Les amis et les amis des amis entrent dans la maison quand ils le veulent. Pour aller chez Félix, il faut une invitation. Il faut frapper avant d'entrer et il faut enlever ses chaussures pour se promener dans la maison. Et il est interdit de manger dans le salon.

■ Compare les familles des amis de Lexibul avec la tienne.

Lis la recherche que nous avons faite en classe pour
connaître des familles des quatre coins du monde.

Familles du monde

En Mongolie

La Mongolie est un pays d'Asie
où il y a beaucoup d'espace et
peu d'habitants. La steppe, une
grande plaine sans arbres,
s'étend à perte de vue. C'est là
qu'habite la petite Qiqij, qui a
sept ans, avec ses trois frères et
ses deux sœurs.

Ses parents sont éleveurs de
moutons. Ils ont aussi des
chevaux et des vaches. Les
animaux mangent de l'herbe.
C'est pourquoi, une vingtaine
de fois par année, la famille
déménage en quête d'un sol
plus nourrissant.

Heureusement, leur maison, la
ger, se démonte rapidement.
C'est un genre de tente faite de toile. Il n'y a donc ni eau
courante, ni électricité, ni salle de bains. La bouse de vache et le
crottin de cheval servent à faire le feu, car le bois est rare. La
lessive, on la fait dans la rivière.

Dans cette maison toute décorée de broderies, les garçons
dorment dans un lit et les filles dans un autre. Ils sont au chaud
sous les épaisses couvertures de laine tissées par leur mère.

Mais bientôt, Qiqij ira à l'école. La ville est loin. La jeune écolière
sera donc pensionnaire 10 mois par année. Elle qui aimait tant,
sur son cheval, rassembler les moutons avec son père !

Au Japon

Yukio est enfant unique. Il vit au neuvième étage, dans un petit appartement en banlieue de Tokyo. L'immeuble abrite 150 familles.

Chaque matin, il enfile son uniforme. Un train bondé le mène à l'école. Au Japon, les résultats scolaires doivent être excellents si on veut faire des études avancées. Alors Yukio est très discipliné.

Le soir, le jeune écolier passe de longues heures à apprendre ses leçons. Sa mère l'aide. Elle s'efforce aussi de lui donner confiance en lui-même et de développer son amour-propre.

Avant d'aller au lit, Yukio prend un bain très chaud avec sa mère. Elle a pu faire couler le bain à l'avance, car un couvercle empêche l'eau de refroidir.

Pour s'endormir, Yukio laisse le téléviseur allumé. Il est depuis longtemps au pays des rêves quand son père rentre du travail, souvent vers minuit.

Pérou, Amérique du Sud

Luis vit au Pérou, dans un bidonville. Un bidonville, c'est un quartier où les pauvres se sont construits des abris misérables. Les maisons sont faites de carton, de tuiles, de tôle, de branches…

Luis se compte chanceux, car son père travaille. C'est ainsi qu'il a pu bâtir une petite maison solide, en brique. Ils ont l'eau courante dans la cour et l'électricité dans la maison. Ils ont même un téléviseur noir et blanc et un vieux réfrigérateur. Cependant, ils se méfient beaucoup des voleurs. Avant d'aller au lit, ils barricadent les portes et les fenêtres.

Dans ce pays, la moitié de la population vit dans la pauvreté absolue. Beaucoup d'enfants mendient toute la journée. Mais Luis est privilégié : il va à l'école l'après-midi. Sa mère aussi va à l'école. Elle a décidé de terminer son cours primaire.

Les parents de Luis sont courageux. Leur vie est très dure. Ils savent que leurs quatre enfants doivent aller à l'école pour améliorer leur sort.

Voici deux beaux poèmes à réciter pour la fête des Mères et la fête des Pères.

Pour mon papa

J'écris le mot *agneau*
Et tout devient frisé :
La feuille du bouleau,
La lumière des prés.

J'écris le mot *étang*
Et mes lèvres se mouillent;
J'entends une grenouille
Rire au milieu des champs.

J'écris le mot *forêt*
Et le vent devient branche.
Un écureuil se penche
Et me parle en secret.

Mais si j'écris le mot *papa*,
Tout me devient caresse,
Et le monde me berce
En chantant dans ses bras.

Maurice CARÊME

(© Fondation Maurice Carême)

Pour ma mère

Il y a plus de fleurs
Pour ma mère, en mon cœur,
Que dans tous les vergers;

Plus de merles rieurs
Pour ma mère, en mon cœur,
Que dans le monde entier;

Et bien plus de baisers
Pour ma mère, en mon cœur,
Qu'on en pourrait donner.

Maurice CARÊME

(© Fondation Maurice Carême)

Samedi, je suis allé chez Lexibul avec papa et mes amis.
Sais-tu ce que nous avons fait ?

Ménage de printemps

Depuis quelques jours, Lexibul se demandait pourquoi
il se sentait un peu triste en rentrant chez lui. Il a réfléchi
et il a vite trouvé la réponse.

Dans les arbres, il a vu de
beaux oiseaux, mais aussi des
sacs de plastique enroulés
autour des branches. Le sous-
bois est rempli de papiers, de
bouteilles et de canettes. Près
de l'étang, des gens ont jeté de
vieux pneus et d'autres déchets.
Que faire ?

Une belle surprise

Samedi matin, Ève, Louis et
son père sont arrivés chez
Lexibul avec tous les amis pour
faire un grand ménage de
printemps. Ils ont travaillé fort
toute la journée. Ils ont rempli
des dizaines de sacs de
toutes sortes de déchets. Ils ont
nettoyé les bords de l'étang.

Autour de la maison de Lexibul, ils ont planté des fleurs et ils ont posé de jolies cabanes d'oiseaux. Ils ont enlevé les branches mortes du sous-bois.

Le père de Louis a émondé les branches des arbres et il a enlevé les sacs de plastique qui y étaient accrochés.

Au coucher du soleil, tout le terrain de Lexibul était nettoyé. Quel beau travail ! Lexibul remercia ses amis et il leur proposa un projet : préparer ensemble des fiches pour faire un centre d'interprétation de la nature.

■ Toi aussi, prépare des fiches pour faire un centre d'interprétation de la nature.

Je suis fière de mes élèves. Lis le dossier qu'ils ont préparé sur le recyclage des déchets.

Le recyclage des déchets

Dans notre pays, chaque personne jette des centaines de kilogrammes de déchets par année. C'est énorme. On ne sait plus où mettre les déchets !

On brûle les déchets dans des incinérateurs. Mais cela pollue l'air.

On enfouit les déchets dans le sol, mais cela aussi pollue l'environnement. C'est pourquoi il est important de recycler le papier, le plastique et le verre.

Le papier récupéré est déchiqueté. Ensuite, il est transformé en pâte. Avec la pâte, on fait du papier hygiénique, des mouchoirs ou des essuie-tout. On recycle aussi le papier journal pour faire du nouveau papier journal.

La plupart des contenants de plastique sont recyclables. Ils sont coupés en morceaux dans une déchiqueteuse. Ensuite, ils sont fondus. Le plastique liquide est versé dans des moules pour faire de nouveaux objets : des bouteilles ou des sacs par exemple.

Avec le verre recyclé, on fait de nouveaux pots et de nouvelles bouteilles. Savais-tu qu'on peut recycler le verre autant de fois qu'on le veut ?

Recyclez, vous aussi, les amis. Devenez de vrais écolos !

■ Que comptes-tu faire pour suivre les conseils de Lexibul ?

Faire de la récupération, c'est parfois très amusant. Vois les bricolages que j'ai inventés à partir de matériaux recyclés.

Bricolages écolos

Transforme une boîte d'œufs vide en futur papillon.

Une chenille géante

Matériel

- une boîte d'œufs vide
- des ciseaux
- de la colle
- de la gouache
- un pinceau
- de la chenille ou des cure-dents peints

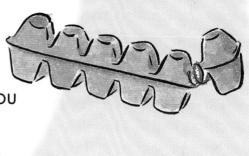

Réalisation

1 Découpe la partie de la boîte d'œufs comportant des alvéoles.

2 Partage-la dans le sens de la longueur.

3 Referme les deux moitiés l'une sur l'autre et colle-les.

4 Détache une double alvéole pour faire la tête. Fixe-la sur le corps avec une tige de chenille ou un cure-dents.

5 Peins ta chenille d'une jolie couleur, orne-la de motifs et fais-lui des yeux.

6 Avec les tiges de chenille ou les cure-dents, fabrique des antennes et des pattes. Colle-les ou insère-les dans le carton.

Note : Pour faire un papillon, on ajoutera des ailes à la chenille.

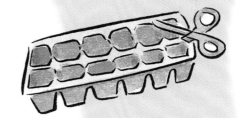

Pour faire de la musique à peu de frais, fabrique tes propres instruments.

Des cymbales

Matériel

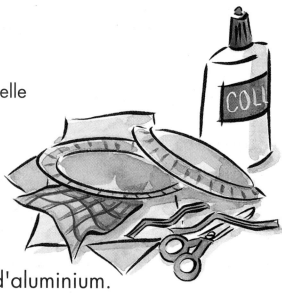

- deux assiettes d'aluminium
- des attaches de sacs à ordures ou une ficelle
- de la colle
- des ciseaux
- du papier de bricolage ou des morceaux de tissu
- un ruban

Réalisation

1 Fais deux trous dans tes assiettes d'aluminium.

2 Insères-y les attaches de sacs à ordures ou une ficelle. Fixe-les bien en nouant chaque bout.

3 Colle de jolis motifs de papier ou de tissu à l'extérieur pour décorer tes cymbales.

4 Colle un ruban joliment noué au bas de chacune.

Tiens chaque cymbale par sa poignée, puis frappe-les ensemble en suivant différents rythmes.

Des maracas

Matériel

- un contenant de plastique avec couvercle (margarine, yogourt...)
- des cailloux, du riz, des légumineuses séchées, etc.
- du papier d'aluminium

Réalisation

1 Remplis de cailloux ou de légumineuses environ la moitié du contenant. Ferme le contenant.

2 Recouvre-le de papier d'aluminium. Si tu as d'autres idées de décoration, laisse libre cours à ton imagination.

Il ne te reste plus qu'à agiter tes maracas pour accompagner les joueurs de cymbales.

■ Trouve d'autres idées de bricolages écolos.

Lis ce poème qui nous met en contact avec les merveilles de la nature.

Un peu de pluie

Un peu de pluie, un peu de vent.
Le sapin rit au bois fleuri,
Le sapin rit avec la pluie,
Le sapin rit avec le vent.

Un oiseau gris, un oiseau blanc.
Le sapin cache deux gros nids,
Le sapin rit à l'oiseau gris,
Le sapin rit à l'oiseau blanc.

L'oiseau gris joue avec le vent,
L'oiseau blanc joue avec la pluie.
Et tout le jour le sapin rit,

Heureux d'avoir tout simplement
Pour l'oiseau gris, pour l'oiseau blanc,
La pluie et le vent comme amis.

Maurice CARÊME

(© Fondation Maurice Carême)

■ Explique à un ami ou une amie de la classe de quelle
façon ce poème se rattache au thème de l'environnement.

Révisons ensemble

Pour sélectionner l'information
dans un texte, j'ai plusieurs trucs.

- Si le texte est photocopié, je surligne les informations que j'ai trouvées avec des crayons de différentes couleurs.

- Si je ne peux pas marquer le texte, je prends des notes sur une feuille. J'écris un mot ou je trace un dessin. Ces indices me permettront de retrouver l'information rapidement.

- Après ma lecture, je m'assure que les informations que j'ai sélectionnées sont correctes et complètes.

- Je cherche mes informations dans plusieurs sources : des livres, des revues, des cédéroms, le réseau Internet, etc. Je note les informations à mesure que je les trouve pour ne pas les oublier. Je choisis ensuite celles qui répondent le mieux aux besoins de ma recherche.

- Je me suis fait un beau carnet de lecture. Quand je lis une histoire, je note dans mon carnet ce que je pense du personnage principal, je copie les phrases que j'aime, je dessine les moments intéressants. Cela me permet de revenir sur l'histoire et d'en discuter avec mes amis.

AUTOUR DE MOI

- Chez toi, comment se passent les heures de repas, les moments du coucher, la visite des amis ? Compare ces habitudes familiales avec celles des autres amis de la classe.

- Tu as vu ce qu'on peut faire pour recycler des déchets. Toi, que fais-tu pour protéger l'environnement ? Quels conseils donnerais-tu à tes amis à ce sujet ?

Révisons ensemble

- J'ai appris à mettre une virgule pour séparer les éléments d'une énumération. Je sais aussi que le dernier élément de l'énumération doit être précédé du petit mot « et ». Observe.

    Il est important de recycler le papier, le plastique et le verre. Avec la pâte à papier récupérée, on fait du papier hygiénique, des mouchoirs et des essuie-tout.

- Pour m'aider à réviser ma ponctuation, j'entoure les virgules en rose.

- Écris trois phrases qui contiennent des énumérations.

> Lorsque j'écris un texte que d'autres personnes vont lire, je m'efforce d'écrire de façon lisible et de bien présenter mon travail.

- Si je fais une affiche ou si j'écris pour des élèves plus jeunes, j'utilise l'écriture script. Autrement, j'utilise l'écriture cursive. J'aime beaucoup me servir de l'ordinateur. Je choisis de beaux caractères et je fais des mises en pages attrayantes.

POUR T'AMUSER

- **Décris une habitude familiale que tu trouves intéressante chez un ami ou une amie. Fais lire ton texte à tes parents.**

- **Imagine un bricolage avec des objets recyclés. Explique la démarche de réalisation à tes camarades pour qu'ils puissent le faire.**

Ce matin, mes élèves ont reçu un étrange cadeau.
Sauront-ils s'en servir ?

Un cadeau fascinant

Lexibul ouvre la mystérieuse boîte que madame Junot a donnée
aux amis de la classe. Dedans, il y a de grosses chaussettes,
des bouts de laine et des retailles de tissu. Les amis sont
contents, mais étonnés.

Ils font d'autres découvertes :
des ciseaux, de la colle, du fil
et des aiguilles. Au fond de la
boîte, il y a des petits paquets
qui contiennent des bâtonnets
à café, du matériel de
rembourrage, des tubes de
carton et des boutons. Les amis
se demandent bien ce qu'ils
peuvent faire avec un tel
cadeau.

Ève lit à voix haute le message
de madame Junot.

> Mes chers petits amis,
> Vous me trouverez sans
> doute un peu folle !
> Que faire avec toutes
> ces vieilleries ?
> Demandez-le à
> monsieur Guignol.

■ Comprends-tu cette dernière phrase de la lettre de madame Junot : « Demandez-le
à monsieur Guignol » ? Essaie de deviner ce qu'elle veut dire.

Grâce à madame Junot, nous pourrons confectionner des marionnettes pour monter un théâtre en classe. À ton tour de faire ces bricolages !

Les bricos de madame Junot

Madame Junot est venue expliquer aux amis comment confectionner de belles marionnettes pour leur théâtre.

Une foule

Tu veux représenter un groupe d'amis, une famille, les habitants d'un village ? Il est possible de le faire avec ce gant marionnette. Chaque doigt du gant représente la tête d'un personnage.

Matériel

- un gant
- de la feutrine et de la laine
- des ciseaux
- de la colle

Réalisation

1 Dans la feutrine et la laine, découpe des chevelures, des yeux et des bouches pour cinq personnages miniatures. Tu peux faire aussi des têtes d'animaux.

2 Taille des foulards, des colliers, des capuchons, des tuques ou d'autres coiffures selon les personnages de ta pièce.

3 Colle le tout au bout de chaque doigt du gant, du côté intérieur.

Voici une marionnette que tu enfileras dans ta main pour représenter un animal de façon très vivante. Avec un peu d'exercice, tu pourras lui faire prendre une foule d'expressions.

Un animal-chaussette

Voici une excellente façon de recycler de vieilles chaussettes trouées ou dépareillées. Tu pourras enfiler la chaussette dans ta main pour faire un personnage de ton choix : un phoque, un ours, un loup... Demande à une grande personne de faire la couture pour ne pas risquer de te blesser.

Matériel

- une chaussette
- trois boutons
- une aiguille et du fil
- des ciseaux
- de la colle
- des pièces de tissu

Réalisation

1 Mets d'abord ta main dans la chaussette. Plie légèrement les doigts, puis prends le temps de bien décider des endroits où devront aller les yeux, le nez et les oreilles de ton animal. Demande à un ou une camarade de marquer ces endroits avec un crayon-feutre.

2 Demande à un adulte de coudre deux yeux-boutons et un nez-bouton sur la chaussette.

3 Pour faire les oreilles, découpe deux triangles dans des restes de tissu et colle-les.

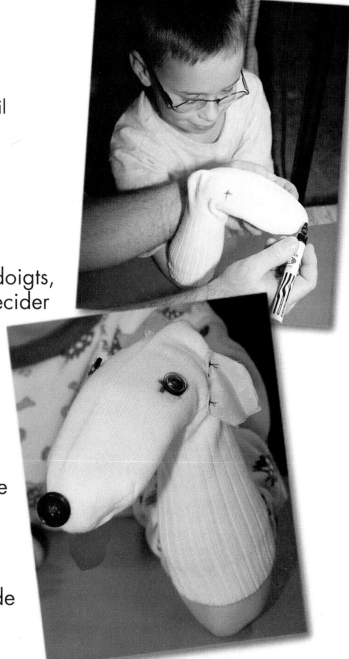

Tu as perdu une mitaine ? Ne jette pas celle qui te reste.
Fais-en plutôt un personnage de théâtre de marionnettes.

Un personnage-mitaine

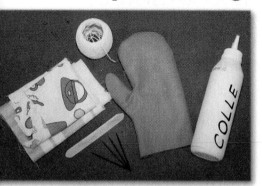

Matériel

- une mitaine
- du tissu de rembourrage
- de la ficelle
- un bâtonnet à café
- des cure-dents peints
- de la colle

Réalisation

1 Rembourre le fond de la mitaine pour former la tête du personnage.

2 Insère un bâtonnet à café pour que la tête reste bien droite.

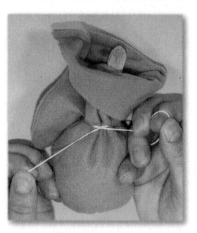

3 Noue une ficelle autour du cou du personnage pour séparer la tête du tronc.

4 Colle des yeux et une bouche sur la tête de ton personnage. S'il s'agit d'un animal, tu peux coller des cure-dents peints pour faire des moustaches.

Donne naissance aux principaux personnages de ta pièce en utilisant des matériaux recyclés.

Une jeune Inuite

Matériel

- un tube de carton (d'essuie-tout par exemple)
- des bouts de laine
- des ciseaux
- de la colle
- des pièces de tissu

Réalisation

1 Pour fabriquer une tuque, fais un cône avec du papier ou du carton.

2 Colle des bouts de laine autour du cône pour imiter la fourrure.

3 Colle des bouts de laine pour faire la chevelure.

4 Colle ou dessine des yeux, une bouche et un nez.

5 Avec le tissu, fabrique un anorak. Colle encore une fois des bouts de laine pour imiter la fourrure.

Pour le théâtre de marionnettes, tu peux fixer un bâton dans le tube pour faire bouger ton personnage.

■ Expose tes marionnettes dans la classe.

Guignol et son théâtre

Guignol est l'un des personnages de marionnettes les plus connus dans le monde, tout comme Polichinelle. D'ailleurs, on appelle souvent les théâtres de marionnettes « théâtres de Guignol ».

Sa personnalité est bouffonne et plutôt ridicule. Frondeur et impertinent, Guignol fait de grosses bêtises avec son ami Gnafron. Les deux plaisantins s'opposent aux agents de police et critiquent toutes les autorités. Cela leur crée beaucoup de problèmes comiques.

Provenant d'Italie, notre drôle de vedette a été introduite en France en 1795. Guignol existe donc depuis plus de 200 ans. Parions que tu pourrais à ton tour mettre ce personnage en scène !

Maintenant que tu sais comment fabriquer des marionnettes, confectionne un castelet pour monter ta pièce.

Castelet

Transforme une vieille boîte de carton en un théâtre de marionnettes.

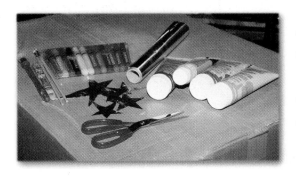

Matériel

- une grosse boîte de carton
- un crayon-feutre
- des ciseaux
- de la gouache
- des pinceaux
- des étoiles, des brillants, etc.

Réalisation

1 Coupe les rabats du dessus de la boîte.

2 Avec un crayon-feutre, dessine la forme de jolis rideaux de scène sur le dessous de la boîte.

3 Découpe-la. Si la boîte est trop épaisse, demande l'aide de ton enseignante ou de ton enseignant.

4 Peins ces rideaux et mets un peu de noir pour simuler des plis dans le tissu.

5 Peins d'une autre couleur les côtés de la boîte.

6 Pour faire le fond de la scène, peins l'intérieur de la boîte d'une autre couleur que les rideaux, puis colles-y des éléments décoratifs.

7 Avec les rabats de la boîte déjà coupés, fabrique des colonnes ou tout autre ornement, comme des tourelles ou des statues.

Le fond peut être changé au cours de la pièce de théâtre : on prévoit alors des dessins sur des cartons de la bonne taille que l'on insère dans la boîte en temps voulu. Tout est possible : intérieurs de maison, de château, d'église, paysages d'hiver, de jungle, etc. Pour la jungle ou un jardin, par exemple, on colle des brins d'herbe ou des fleurs en abondance sur du jute.

Pour des marionnettes à main, on pose la boîte sur deux chaises ou, mieux, on emploie de très grandes boîtes derrière lesquelles on pourra se cacher.

Pour les marionnettes suspendues, on découpe le dessus du castelet en laissant une bordure d'environ 5 centimètres autour du trou.

▪ Est-ce que tu as de bonnes idées pour fabriquer un castelet ? Si oui, donne tes suggestions à tes camarades de classe.

Voici un canevas que tu pourras développer pour monter un spectacle de marionnettes.

Duvet blanc

Les personnages

Nanouk une jeune Inuite de sept ans

Yeux perçants le chien de Nanouk

Duvet blanc un bébé ours polaire

Grand-maman baleine une baleine âgée qui a perdu la mémoire

Loup marin coquin un loup marin qui se prétend grand magicien

Écailles dorées un poisson magique que Nanouk a pêché

Maman ourse la maman de Duvet blanc

Scène 1 *Nanouk, Yeux perçants et Écailles dorées*

Nanouk s'est installée sur la banquise pour pêcher. Elle vient d'attraper un gros poisson doré.

Nanouk : Regarde le beau poisson, Yeux perçants ! Ses écailles brillent comme des étoiles.

Yeux perçants : Wouf ! Wouf ! Wouf ! Du bon poisson pour ce soir !

Nanouk : Tu sais bien qu'il n'est pas pour toi, gros gourmand. C'est mon cadeau d'anniversaire pour papa. Rentrons vite à la maison.

Scène 2   *Nanouk, Yeux perçants et Duvet blanc*

En courant sur la banquise, Yeux perçants découvre un bébé ours blanc qui pleure.

Nanouk : Arrête de japper, Yeux perçants. Tu fais peur à l'ourson. Pourquoi pleures-tu ? Comment t'appelles-tu ?

Duvet blanc : Je m'appelle Duvet blanc. Je pleure parce que j'ai perdu ma maman. Des hommes l'ont capturée pour l'emmener dans un zoo.

Nanouk : Explique-nous comment ça s'est passé et comment tu as pu échapper à ces hommes.

Scène 3   *Nanouk, Yeux perçants, Duvet blanc et Grand-maman baleine*

En cherchant la maman de Duvet blanc sur la banquise, Yeux perçants, Nanouk et Duvet blanc font une étonnante rencontre.

Nanouk : Grand-maman baleine, nous cherchons une ourse. Toi qui connais bien la banquise, peux-tu nous aider ?

Grand-maman baleine : J'ai vu des hommes en motoneige qui transportaient un animal.

Nanouk : Est-ce que c'était une maman ourse ?

Grand-maman baleine : Je ne m'en souviens pas très bien, car je n'ai plus une très bonne mémoire. L'animal était plus petit qu'une baleine, mais plus gros qu'un moustique.

Yeux perçants : Est-ce que l'animal était plus petit qu'un béluga, mais plus gros qu'un lemming ?

(Dialogue amusant à poursuivre : Nanouk et Yeux perçants posent des questions sur d'autres animaux du Grand Nord pour aider Grand-maman baleine à retrouver la mémoire : bœuf musqué, caribou, renard, lièvre, harfang des neiges, hermine, loup, phoque, etc.)

Scène 4 *Nanouk, Yeux perçants, Duvet blanc et Loup marin coquin*

Nanouk et Yeux perçants continuent de chercher la maman de Duvet blanc, car ils n'ont rien pu tirer de la vieille baleine. Ils rencontrent ensuite un loup marin qui prétend pouvoir les aider.

Nanouk : Loup marin, tu sais où trouver la maman de Duvet blanc ?

Loup marin coquin : Bien sûr que je le sais, car je sais tout.

Nanouk : Alors, dis-nous vite où elle se trouve.

Loup marin coquin : À une seule petite condition.

Nanouk : Laquelle ?

Loup marin coquin : Que tu me donnes ce poisson qui sent si bon !

(Dialogue à inventer : Nanouk ne veut pas donner le beau poisson doré qu'elle a pêché pour la fête de son père.)

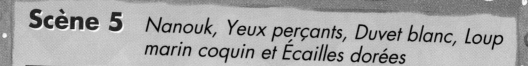

Scène 5   *Nanouk, Yeux perçants, Duvet blanc, Loup marin coquin et Écailles dorées*

(Dialogue à inventer : Écailles dorées révèle à Nanouk qu'il est un poisson magique et qu'il pourra l'aider à retrouver Maman ourse si Nanouk accepte de le remettre à la mer. Une fois dans l'eau, Écailles dorées demande à Nanouk de se fermer les yeux. Aussitôt, elle voit dans sa tête la cage de Maman ourse et l'endroit où se trouve la clé. Avec l'aide de Yeux perçants, elle court délivrer Maman ourse.)

Scène 6   *Nanouk, Yeux perçants, Duvet blanc et Maman ourse*

(Dialogue à inventer : Maman ourse est délivrée. Tout le monde est content. Pour remercier Nanouk et Yeux perçants de leur courage, Maman ourse va leur pêcher des dizaines de poissons.)

Scène 7   *Nanouk, Yeux perçants et les habitants du village inuit*

(Dialogue à inventer : Nanouk et Yeux perçants racontent leur aventure aux habitants du village. Il y a une grande fête pour célébrer l'anniversaire du père de Nanouk et le courage des deux héros.)

■ Monte maintenant la pièce *Duvet blanc*.

Lis ce poème. Il te donnera des idées pour créer une autre pièce.

Tout est bien...

Bienvenue, messieurs, mesdames,
Dans notre monde enchanteur.
Laissez-vous prendre au charme
De nos merveilleux acteurs.

Dans un magnifique décor,
Apparaît le méchant Pompon
Qui vient voler l'or
Du bon roi Cotilédon.
La princesse qui le voit
Pousse un cri, et dans la tour,
Elle s'enferme avec le roi
Et elle appelle au secours.

Près de là, son chevalier
Aperçoit la demoiselle.
Il se met à galoper
Pour aller sauver sa belle.
À la porte du château,
Il dégaine son épée.
Pompon s'enfuit aussitôt
Car il a peur de lutter.

Le bon roi est délivré
Avec sa fille Isabelle
Grâce au brave chevalier
Qui répondit à l'appel.

« Chevalier, dit le bon roi,
Dès demain, si elle le veut,
Ma fille, tu épouseras,
Puisque vous êtes amoureux. »

Au revoir, mesdames, messieurs,
Avez-vous aimé la fin ?
Le théâtre, c'est un jeu
Où tout est bien qui finit bien.

■ Aimerais-tu faire un théâtre de marionnettes en t'inspirant
de ce poème ? Si oui, dis quel personnage tu aimerais jouer.

Le champion croque-pommes

Cette année, les élèves ont organisé une kermesse pour fêter la fin des classes. Les amis de l'école ont formé des équipes et se sont donné des noms originaux. L'équipe de Lexibul s'appelle « les Satellites en orbite ». Les élèves se mettent en place pour la première compétition.

Le relais de tricycles

Au premier tour de piste, Louis prend la tête. Il passe le témoin à Lexibul, qui réussit à garder l'avance. Au tour d'Ève de se lancer. Comme elle est très rapide, elle dépasse tous les autres, mais soudain... bang ! C'est l'accident. Trois coureurs tombent par terre. Heureusement, personne n'est blessé. Les Lapins blancs gagnent la course !

Ève est mauvaise perdante. Elle boude dans son coin. Monique lui demande d'avoir une meilleure attitude envers les gagnants.

Des jeux d'adresse

Avec un pistolet à eau, il faut s'efforcer d'éteindre une bougie placée à un mètre de distance. Les concurrents se mettent en ligne. À ce jeu, Paquita et ses Écureuils gris sont imbattables. Ils gagnent plusieurs points.

Au jeu de poches, grâce à l'adresse de Louis, les Satellites gagnent une première épingle à linge. Mais pour l'instant, ils tirent de l'arrière sur les autres équipes.

La course aux œufs

Ève donne un truc à ses coéquipiers. Elle part à toute vitesse en tenant un œuf dans une cuillère. Lexibul et Louis atteignent aussi rapidement le fil d'arrivée. Les Satellites ramassent beaucoup de points. La bonne humeur d'Ève est vite revenue. Elle saute de joie en chantant :

**Les Satellites sont fiers.
Ce sont de grandes vedettes.
Les autres équipes, elles ne savent faire
Que des omelettes !**

Monique lui demande d'être plus gentille envers les perdants.

La course des kangourous

Au signal, les concurrents de la course des kangourous s'élancent. Louis prend vite la tête, suivi des trois coéquipiers des Lapins blancs. Au milieu de la piste, Ève tombe sur Rémy qui tombe à son tour sur ses coéquipières. C'est un vrai jeu de quilles ! Louis a gagné la course.

Le jeu des avions

Pour construire un avion en papier, personne ne peut égaler Lexibul. Et pour le lancer, Ève est imbattable. On fait trois lancers. Les Satellites remportent chaque fois. Ève saute de joie. Mais les Lapins blancs mènent toujours.

Le croque-pommes

Il n'est pas facile de croquer des pommes qui flottent dans un bassin. Mais à ce jeu, Lexibul est un vrai champion. En 30 secondes, il réussit à croquer 10 pommes. On acclame le vainqueur. Grâce à leur champion croque-pommes, les Satellites gagnent la compétition.

La remise des médailles

Les Satellites montent sur le podium pour recevoir la médaille d'or. On les applaudit très fort et on prend une photo des vainqueurs.

Il est midi. Tous les élèves se rendent au parc pour le grand pique-nique de fin d'année.

■ Organise une kermesse pour la fin de l'année.

Lis ces deux chansons que tu pourras chanter pendant les vacances.

Le joyeux promeneur

Par les sentiers, sous le ciel bleu,
J'aime à me promener,
Le sac au dos, le cœur joyeux,
Je me mets à chanter.

Valderi, valdera, valderi, valdera,
Ha, ha, ha, ha, ha,
Valderi, valdera,
Je me mets à chanter.

Parfois suivant du clair ruisseau
Les folâtres ébats
Je l'entends dire dans les roseaux
Viens chanter avec moi.

Et dans les bois et dans les champs
Tous les oiseaux jaseurs
Mêlant leurs voix, mêlant leurs chants
Entonnent tous en chœur.

Tous les amis que je rencontre
Au hasard des chemins
À mon salut, bientôt répondent
Par ce même refrain.

Et je serai au long des jours
Avec la même ardeur,
Sous le soleil, errant toujours,
Un joyeux promeneur.

Joli feu

Feu, feu, joli feu,
Ton ardeur nous réjouit.
Feu, feu, joli feu,
Flambe dans la nuit.

Vive la chaleur du feu !
Vive sa chaleur !

Vive la couleur du feu !
Vive sa couleur !

Vive la beauté du feu !
Vive sa beauté !

Lexibul est mon meilleur ami. Je me demande s'il va rester avec nous. Toi, qu'en penses-tu ?

Un nouveau départ

Lexibul se rappelle la nuit tragique de son arrivée à Val-L'Avenir. Il a vécu tellement de choses depuis et il a amassé tant de beaux souvenirs !

Il y a bien longtemps que Lexibul ne songe plus à repartir. Son vaisseau spatial est entouré d'arbustes et couvert de lierre. Il s'est transformé en une maison confortable. Son coin de forêt a été aménagé en centre d'interprétation de la nature. Des centaines d'espèces végétales et animales y vivent en harmonie. Lexibul projette de bâtir une tour en bois pour observer les oiseaux.

Grâce au travail des élèves de Monique, le musée de l'espace est devenu un impressionnant centre d'observation et de documentation. Lexibul et Paquita ont encore plein de bonnes idées pour le développer cet été.

Lexibul pense à tout ce qu'il a appris au cours des deux dernières années et il est fier de lui. Mais il sait qu'il lui reste encore beaucoup de choses à apprendre. Et beaucoup d'autres projets à réaliser.

Avec Monique, Lexibul a fait de la sauce à spaghetti. Il a invité tous ses amis à manger avec lui pour discuter de l'année qu'ils ont passée ensemble, mais surtout de l'avenir. Et de leur belle amitié, qui est pour Lexibul la chose la plus importante du monde.

■ Toi, qu'as-tu appris au cours des deux dernières années et de quoi tires-tu la plus grande fierté ?

Les supertrucs de Louis

Pour me rappeler comment orthographier un mot :

1 **J'entre le mot dans ma mémoire.**

- J'épelle le mot pour me rappeler chaque lettre.

sapin

sapin

2 **Je cherche des mots qui lui ressemblent.**

matin, chemin, lapin, sa

3 **J'observe attentivement les parties du mot.**

- Je sépare le mot en syllabes.

ven	dre	di

- Je pense aux cartons-sons.

ab eille

- Je fais attention aux difficultés.

caro tt e

Le lapin a deux oreilles. Il mange des carottes avec deux **t**.

4 **Je mets le mot au féminin pour trouver la lettre muette.**

un raisin ver t, une pomme ver te

Le supertruc, c'est de partager nos supertrucs !